하 루 10 분 서술형 / 문장제 학습지

수학
독해

A2
덧셈과 뺄셈 I

초1~초2

사고가 자라는 수학

수학독해 : 수학을 스스로 읽고 해결하다

객관식이나 간단한 단답형 문제는 자신 있는데 긴 문장이나 풀이 과정을 쓰라는 문제는 어려워하는 아이들이 있어요. 빠르고 정확하게 연산하고 교과 응용문제까지도 곧잘 풀어내지만, 문제 속 상황이 약간만 복잡해지면 문제를 풀려고도 하지 않는 아이들도 많아요. 이러한 아이들에게 부족한 것은 연산 능력이나 문제 해결력보다는 독해력과 표현력입니다. 특히 수학적 텍스트를 이해하고 표현하는 능력, 즉 수학 독해력이지요.

요즘 아이들의 독해력이 약해진 가장 큰 이유는 과거에 비해 이야기를 만나는 방식이 다양해졌기 때문이에요. 예전에는 대부분 말이나 글로써만 이야기를 접했어요. 텍스트 위주로 여러 가지 사건을 간접 체험하고, 머릿 속으로 상황을 그려내는 훈련이 자연스럽게 이루어졌지요. 반면 요즘 아이들은 글보다도 TV나 스마트폰 등 영상매체에 훨씬 빨리, 자주 노출되기에 글을 통해 상상을 할 필요가 점점 없어지게 되었습니다.

그렇다고 아이들에게 어렸을 때부터 영화나 애니메이션을 못 보게 하고 책만 읽게 하는 것은 바람직하지 않고, 가능하지도 않아요. 시각 매체는 그 자체로 많은 장점이 있기 때문에 지금의 아이들은 예전 세대에 비해 이미지에 대한 이해력과 적용력이 매우 뛰어나답니다. 문제는 아직까지 모든 학습과 평가 방식이 여전히 텍스트 위주이기 때문에 지금도 아이들에게 독해력이 중요하다는 점이에요. 그래서 저희는 영상 매체에는 익숙하지만 말이나 글에는 약한 아이들을 위한 새로운 수학 독해력 향상 프로그램인 씨투엠 수학독해를 기획하게 되었어요.

씨투엠 수학독해는 기존 문장제/서술형 교재들보다 더욱 쉽고 간단한 학습법을 보여주려 해요. 문제에 있는 문장과 표현 하나하나마다 따로 접근하여 아이들이 어려워하는 포인트를 찾고, 각 포인트마다 직관적인 활동을 통해 독해력과 표현력을 차근차근 끌어올리려고 합니다. 또한 문제 이해와 풀이 서술 과정을 단계별로 세세하게 나누어 문장제, 서술형 문제를 부담 없이 체계적으로 연습할 수 있어요. 새로운 문장제 학습법인 씨투엠 수학독해가 문장제 문제에 특히 어려움을 겪고 있거나 앞으로 서술형 문제를 좀 더 잘 대비하고 싶은 아이들에게 큰 도움이 될 것이라 자신합니다.

씨우엠 수학독해의 구성과 특징

- 매일 부담없이 2쪽씩, 하루 10분 문장제 학습
- 매주 5일간 단계별 활동, 6일차는 중요 문장제 확인학습
- 5회분의 진단평가로 테스트 및 복습

주차별 구성

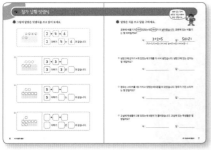

일일학습
꼬마 수학자들의
간단한 팁과 함께
매일 새롭게 만나는
단계별 문장제 활동

확인학습
중요 문장제 활동을
다시 한번 확인하며
주차 학습 마무리

1주차	1일	2일	3일	4일	5일	확인학습
	6쪽 ~ 7쪽	8쪽 ~ 9쪽	10쪽 ~ 11쪽	12쪽 ~ 13쪽	14쪽 ~ 15쪽	16쪽 ~ 18쪽

2주차	1일	2일	3일	4일	5일	확인학습
	20쪽 ~ 21쪽	22쪽 ~ 23쪽	24쪽 ~ 25쪽	26쪽 ~ 27쪽	28쪽 ~ 29쪽	30쪽 ~ 32쪽

3주차	1일	2일	3일	4일	5일	확인학습
	34쪽 ~ 35쪽	36쪽 ~ 37쪽	38쪽 ~ 39쪽	40쪽 ~ 41쪽	42쪽 ~ 43쪽	44쪽 ~ 46쪽

4주차	1일	2일	3일	4일	5일	확인학습
	48쪽 ~ 49쪽	50쪽 ~ 51쪽	52쪽 ~ 53쪽	54쪽 ~ 55쪽	56쪽 ~ 57쪽	58쪽 ~ 60쪽

진단평가 구성

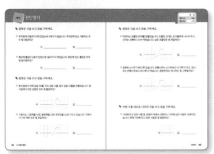

진단평가
4주 간의 문장제 학습에서 부족한 부분을
확인하고 복습하기 위한 자가 진단 테스트

진단평가	1회	2회	3회	4회	5회
	62쪽 ~ 63쪽	64쪽 ~ 65쪽	66쪽 ~ 67쪽	68쪽 ~ 69쪽	70쪽 ~ 71쪽

이 책의 차례

✿ 그림에 알맞은 덧셈식을 쓰고 읽어 보세요.

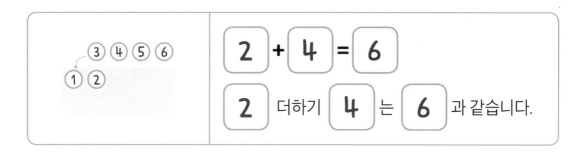

①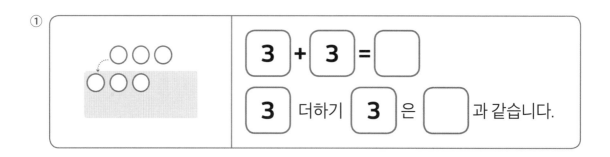

②

③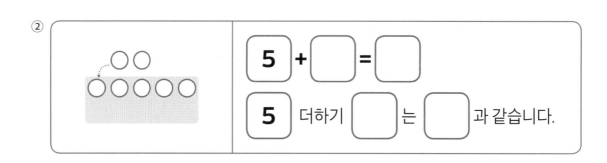

✿ 알맞은 식을 쓰고 답을 구하세요.

공원에 비둘기가 ③마리 있었는데 ②마리가 더 날아왔습니다. 공원에 있는 비둘기는 몇 마리일까요?

식 : __3+2=5__   답 : __5마리__

(원래 있던 비둘기)+(새로 날아온 비둘기)=(비둘기)

① 냉장고에 감자가 4개 있었는데 5개를 더 사서 넣었습니다. 냉장고에 있는 감자는 몇 개일까요?

식 : _____   답 : _____

② 정우는 스티커를 1장 가지고 있었는데 6장을 더 모았습니다. 정우가 가진 스티커는 몇 장일까요?

식 : _____   답 : _____

③ 교실에 학생들이 2명 있었는데 6명이 더 들어왔습니다. 교실에 있는 학생들은 몇 명일까요?

식 : _____   답 : _____

🦋 그림에 알맞은 덧셈식을 쓰고 읽어 보세요.

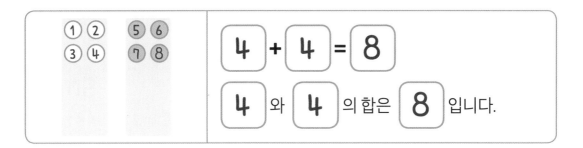

$$4 + 4 = 8$$

4 와 4 의 합은 8 입니다.

①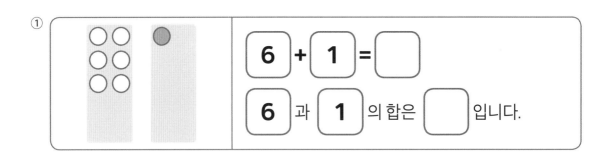

$$6 + 1 = \boxed{}$$

6 과 1 의 합은 $\boxed{}$ 입니다.

②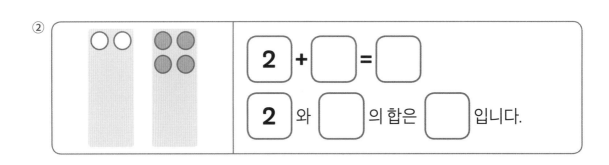

$$2 + \boxed{} = \boxed{}$$

2 와 $\boxed{}$ 의 합은 $\boxed{}$ 입니다.

③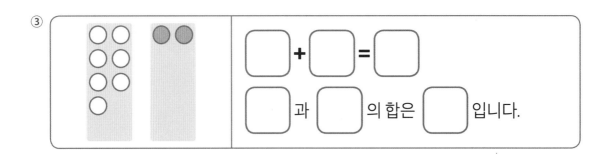

$$\boxed{} + \boxed{} = \boxed{}$$

$\boxed{}$ 과 $\boxed{}$ 의 합은 $\boxed{}$ 입니다.

각각 다른 모둠에 있는 것들을 모아서 더하는 상황이지.

🐞 알맞은 식을 쓰고 답을 구하세요.

운동장에 남자 어린이 ②명과 여자 어린이 ②명이 놀고 있습니다. 운동장에 있는 어린이는 <u>모두</u> 몇 명일까요?

식 : _____ **2+2=4** _____   답 : _____ **4명** _____

(남자 어린이)+(여자 어린이)=(어린이)

① 지은이는 바지를 3벌, 치마를 4벌 가지고 있습니다. 지은이가 가지고 있는 바지와 치마는 모두 몇 벌일까요?

식 : _____   답 : _____

② 공원에 밤나무가 4그루, 소나무가 1그루 있습니다. 공원에 있는 나무는 모두 몇 그루일까요?

식 : _____   답 : _____

③ 우표를 기현이는 6장, 동하는 2장 가지고 있습니다. 두 사람이 가지고 있는 우표는 모두 몇 장일까요?

식 : _____   답 : _____

그림에 알맞은 뺄셈식을 쓰고 읽어 보세요.

$$6 - 2 = 4$$

6 빼기 2 는 4 와 같습니다.

①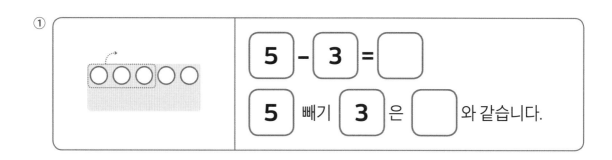

$$5 - 3 = \boxed{}$$

5 빼기 3 은 ☐ 와 같습니다.

②

$$9 - \boxed{} = \boxed{}$$

9 빼기 ☐ 는 ☐ 와 같습니다.

③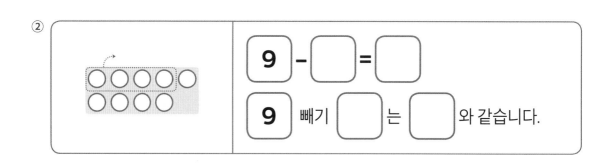

$$\boxed{} - \boxed{} = \boxed{}$$

☐ 빼기 ☐ 는 ☐ 과 같습니다.

원래 있던 것에서 몇 개가 없어지고 남는 것을 구하는 거야.

🐝 알맞은 식을 쓰고 답을 구하세요.

연못에 오리가 ⑺마리 있었는데 ⑹마리가 날아갔습니다. 연못에 남은 오리는 몇 마리일까요?

식 : __7-6=1__   답 : __1마리__

(원래 있던 오리)-(날아간 오리)=(남은 오리)

① 준우는 양초 3개에 입으로 바람을 불어서 2개를 꺼뜨렸습니다. 켜져 있는 양초는 몇 개일까요?

식 : _____   답 : _____

② 어항에 금붕어가 6마리 있었는데 2마리는 다른 곳으로 옮겼습니다. 어항에 남은 금붕어는 몇 마리일까요?

식 : _____   답 : _____

③ 희진이는 사탕 4개를 가지고 있었는데 1개를 먹었습니다. 희진이에게 남은 사탕은 몇 개일까요?

식 : _____   답 : _____

🐾 그림에 알맞은 뺄셈식을 쓰고 읽어 보세요.

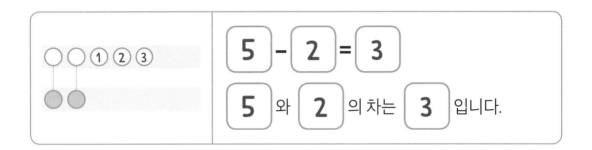

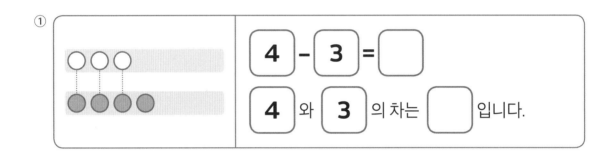

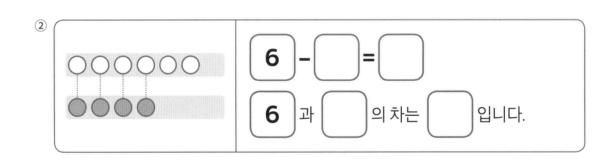

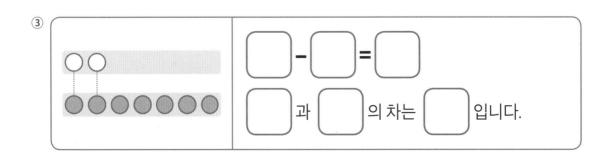

🦋 알맞은 식을 쓰고 답을 구하세요.

주머니 안에 검은 바둑돌이 ④개 흰 바둑돌이 ②개 들어 있습니다. 검은 바둑돌은 흰 바둑돌보다 몇 개 더 많을까요?

식 : __4-2=2__   답 : __2개__

(검은 바둑돌)-(흰 바둑돌)=(두 바둑돌의 차)

① 주차장에 버스가 3대, 트럭이 6대 주차되어 있습니다. 트럭은 버스보다 몇 대 더 많을까요?

식 : _____   답 : _____

② 사탕을 진아는 9개, 현수는 4개 가지고 있습니다. 진아는 현수보다 사탕을 몇 개 더 가지고 있을까요?

식 : _____   답 : _____

③ 호수에 두루미가 1마리, 오리가 8마리 있습니다. 오리는 두루미보다 몇 마리 더 많을까요?

식 : _____   답 : _____

🌼 다음 문제를 식을 세워 단계별로 풀어 보세요.

교실에 안경을 쓴 아이는 4명이고, 안경을 쓰지 않은 아이는 안경을 쓴 아이보다 2명 더 적습니다. 교실에 있는 아이는 모두 몇 명일까요?

안경을 쓰지 않은 아이　　　식 : __4-2=2__　　　답 : __2명__

(안경을 쓴 아이)-(2명)=(안경을 쓰지 않은 아이)

교실에 있는 아이　　　식 : __4+2=6__　　　답 : __6명__

(안경을 쓴 아이)+(안경을 쓰지 않은 아이)=(아이)

① 누나는 딸기를 3개 먹었고, 동생은 누나보다 딸기를 1개 더 먹었습니다. 누나와 동생이 먹은 딸기는 모두 몇 개일까요?

동생이 먹은 딸기　　　식 : _____　　　답 : _____

누나와 동생이 먹은 딸기　　　식 : _____　　　답 : _____

② 현재는 5살이고, 현재의 동생은 현재보다 4살 더 어립니다. 현재와 동생의 나이의 합은 몇 살일까요?

동생의 나이　　　식 : _____　　　답 : _____

현재와 동생의 나이 합　　　식 : _____　　　답 : _____

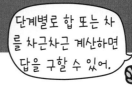

단계별로 합 또는 차를 차근차근 계산하면 답을 구할 수 있어.

 다음 문제를 식을 세워 단계별로 풀어 보세요.

경아는 색종이를 8장 가지고 있고, 성지는 빨강 색종이를 3장, 파랑 색종이를 2장 가지고 있습니다. 두 사람이 가진 색종이는 몇 장 차이일까요?

성지가 가진 색종이   식 : __3+2=5__   답 : __5장__

(빨강 색종이)+(파랑 색종이)=(성지의 색종이)

색종이의 차   식 : __8-5=3__   답 : __3장__

(경아의 색종이)-(성지의 색종이)=(색종이의 차)

① 지훈이는 책을 6권 읽었고, 가연이는 동화책을 1권, 만화책을 4권 읽었습니다. 두 사람이 읽은 책은 몇 권 차이일까요?

가연이가 읽은 책   식 : _____   답 : _____

책의 차   식 : _____   답 : _____

② 상자에 사과가 3개, 배가 4개 들어 있고, 봉지에 배가 5개 들어 있습니다. 상자와 봉지에 담긴 과일은 몇 개 차이일까요?

상자에 있는 과일   식 : _____   답 : _____

과일의 차   식 : _____   답 : _____

확인학습

✏️ 그림에 알맞은 식을 쓰고 읽어 보세요.

①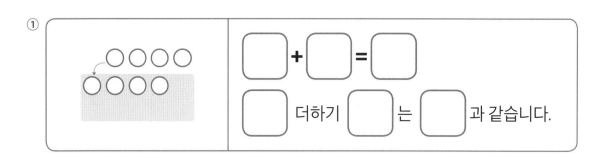

②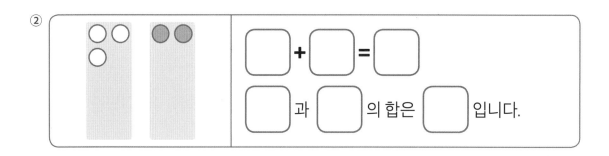

③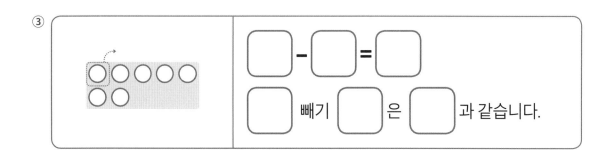

④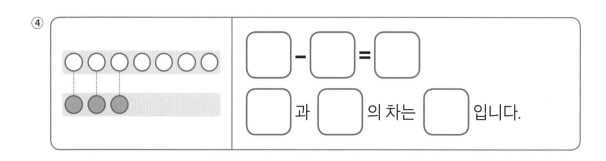

✎ 알맞은 식을 쓰고 답을 구하세요.

⑤ 냉장고에 고구마가 2개, 감자가 8개 있습니다. 감자는 고구마보다 몇 개 더 많을
   까요?

   식 : _____   답 : _____

⑥ 시우는 빨강 색종이 3장, 파랑 색종이 1장을 샀습니다. 시우가 산 색종이는 모두
   몇 장일까요?

   식 : _____   답 : _____

⑦ 진주는 바지를 3벌 가지고 있었는데 엄마가 6벌을 더 사주셨습니다. 진주가 가진
   바지는 모두 몇 벌일까요?

   식 : _____   답 : _____

⑧ 마음이는 동전을 4개 가지고 있었는데 2개를 저금통에 넣었습니다. 마음이에게
   남은 동전은 몇 개일까요?

   식 : _____   답 : _____

✏️ 다음 문제를 식을 세워 단계별로 풀어 보세요.

⑨ 냉장고에 귤이 5개 있고, 사과는 귤보다 1개 더 적습니다. 냉장고에 있는 귤과 사과는 모두 몇 개일까요?

냉장고에 있는 사과   식 : _____   답 : _____

냉장고에 있는 귤과 사과   식 : _____   답 : _____

⑩ 교실에 여자 아이가 2명 있고, 남자 아이는 여자 아이보다 3명 더 많습니다. 교실에 있는 아이는 모두 몇 명일까요?

교실에 있는 남자 아이   식 : _____   답 : _____

교실에 있는 아이   식 : _____   답 : _____

⑪ 수아는 다트를 과녁에 3개 맞혔고, 호진이는 수아보다 다트를 2개 더 많이 맞혔습니다. 두 사람이 맞힌 다트는 모두 몇 개일까요?

호진이가 맞힌 다트   식 : _____   답 : _____

두 사람이 맞힌 다트   식 : _____   답 : _____

2주차

두 자리 덧셈

✿ 세로셈 식을 완성하고 밑줄친 곳에 알맞은 수를 구하세요.

20보다 5 큰 수는 __**25**__ 입니다.

묶음	낱개
2	0
+	5
2	5
2	0+5

① 32보다 2 큰 수는 _____ 입니다.

3	2
+	2

② 45 더하기 4는 _____ 와 같습니다.

4	5
+	

③ 61과 8의 합은 _____ 입니다.

+	

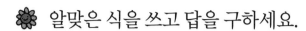

두 자리 덧셈부터는 세로셈으로 식을 만드는 것이 좋아.

❀ 알맞은 식을 쓰고 답을 구하세요.

경훈이는 우표를 36장 가지고 있고, 민우는 경훈이보다 우표를 3장 더 가지고 있습니다. 민우가 가진 우표는 몇 장일까요?

식 :
```
  3 6
+   3
  3 9
```
답 : __39장__

① 정원에 장미가 52송이 피어 있었는데 3송이가 더 피었습니다. 정원에 있는 장미는 몇 송이일까요?

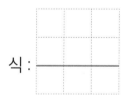

식 : _____   답 : _____

② 올해 언니의 나이는 14살입니다. 4년 후에 언니의 나이는 몇 살일까요?

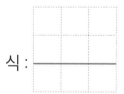

식 : _____   답 : _____

③ 흰 바둑돌이 80개 있고, 검은 바둑돌은 7개 있습니다. 바둑돌은 모두 몇 개일까요?

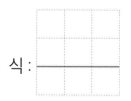

식 : _____   답 : _____

(몇십)+(몇십)

🎨 세로셈 식을 완성하고 밑줄친 곳에 알맞은 수를 구하세요.

20 더하기 30은 ___50___ 과 같습니다.

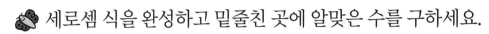

```
      묶음 낱개
       2   0
   +   3   0
   ─────────
       5   0
      2+3   0
```

① 60보다 10 큰 수는 _____ 입니다.

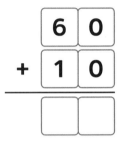

```
   6   0
+  1   0
─────────
   □   □
```

② 20 더하기 20은 _____ 과 같습니다.

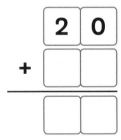

```
   2   0
+  □   □
─────────
   □   □
```

③ 50과 30의 합은 _____ 입니다.

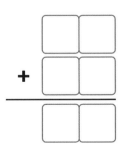

```
   □   □
+  □   □
─────────
   □   □
```

(몇십)+(몇십)에서는 십의 자리 숫자만 계산하면 돼.

 알맞은 식을 쓰고 답을 구하세요.

수지는 빨간 색종이 10장과 노란 색종이 10장을 가지고 있습니다. 수지가 가지고 있는 색종이는 모두 몇 장일까요?

식 :
$$\begin{array}{r} 1\ 0 \\ +\ 1\ 0 \\ \hline 2\ 0 \end{array}$$
답 : __20장__

① 지원이는 도토리를 20개 주웠고, 우성이는 지원이보다 도토리를 40개 더 주웠습니다. 우성이가 주운 도토리는 몇 개일까요?

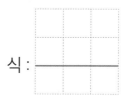

식 : _____ 답 : _____

② 냉장고에 귤이 20개, 오렌지가 10개 있습니다. 냉장고에 있는 귤과 오렌지는 모두 몇 개일까요?

식 : _____ 답 : _____

③ 꽃 가게에 튤립이 10송이씩 6다발, 국화가 10송이씩 3다발 있습니다. 꽃 가게에 있는 튤립과 국화는 모두 몇 송이일까요?

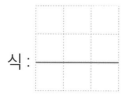

식 : _____ 답 : _____

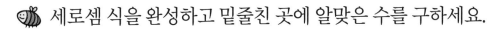 세로셈 식을 완성하고 밑줄친 곳에 알맞은 수를 구하세요.

32와 63의 합은 __95__ 입니다.

묶음	낱개
3	2
+ 6	3
9	5
3+6	2+3

① 44보다 11 큰 수는 _____ 입니다.

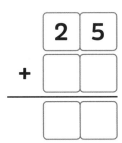

② 25 더하기 33은 _____ 과 같습니다.

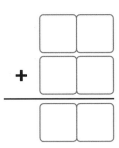

③ 72와 12의 합은 _____ 입니다.

묶음은 묶음끼리 더하고 낱개는 낱개끼리 더하는 거야.

🐝 알맞은 식을 쓰고 답을 구하세요.

과수원에 사과나무가 15그루, 복숭아나무가 23그루 있습니다. 과수원에 있는 나무는 모두 몇 그루일까요?

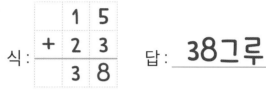

식 :

$$\begin{array}{r} 1\ 5 \\ +\ 2\ 3 \\ \hline 3\ 8 \end{array}$$

답 : __38그루__

① 은아는 색종이를 62장 가지고 있었는데 10장씩 3묶음을 더 샀습니다. 은아가 가지고 있는 색종이는 몇 장일까요?

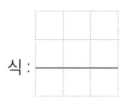

식 : _____   답 : _____

② 연못에 잉어가 27마리, 붕어가 61마리 있습니다. 연못에 있는 잉어와 붕어는 모두 몇 마리일까요?

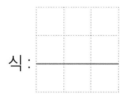

식 : _____   답 : _____

③ 체육 창고에 골프공이 43개 있고, 탁구공은 골프공보다 36개 더 많습니다. 체육 창고에 있는 탁구공은 몇 개일까요?

식 : _____   답 : _____

🎨 알맞은 식을 쓰고 답을 구하세요.

상우는 색종이를 13장 가지고 있습니다. 색종이를 혁오는 상우보다 20장 더 가지고 있고, 초이는 혁오보다 4장 더 가지고 있습니다. 초이가 가지고 있는 색종이는 몇 장일까요?

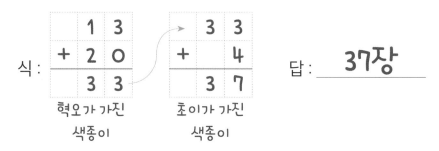

식 :

$$\begin{array}{r} 1\ 3 \\ +\ 2\ 0 \\ \hline 3\ 3 \end{array}$$

혁오가 가진 색종이

$$\begin{array}{r} 3\ 3 \\ +\ \ 4 \\ \hline 3\ 7 \end{array}$$

초이가 가진 색종이

답 : <u>37장</u>

① 동물 농장에 소가 20마리 있습니다. 돼지는 소보다 21마리 더 많고, 염소는 돼지보다 35마리 더 많습니다. 동물 농장에 있는 염소는 몇 마리일까요?

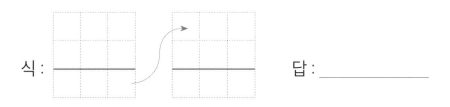

식 : _____   _____   답 : _____

② 저금통에 동전이 51개 있었는데 동전을 5개 더 넣었습니다. 저금통에 동전을 12개 더 넣으면 동전은 몇 개가 될까요?

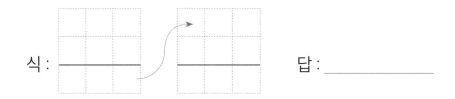

식 : _____   _____   답 : _____

두 번 더하는 문제를 풀 때는 덧셈식을 2번 사용해야 해.

🐞 **알맞은 식을 쓰고 답을 구하세요.**

재훈이는 11살이고 아빠는 재훈이보다 32살 더 많습니다. 재훈이와 아빠의 나이 합은 몇 살일까요?

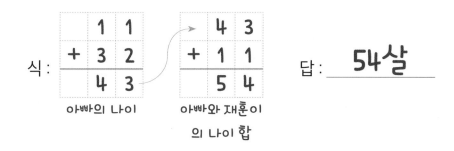

식 :

```
    1 1
  + 3 2
    4 3
```
아빠의 나이

```
    4 3
  + 1 1
    5 4
```
아빠와 재훈이
의 나이 합

답 : __54살__

① 학교 도서관에 그림책이 40권 있고, 동화책은 그림책보다 7권 더 많습니다. 도서관에 있는 그림책과 동화책은 모두 몇 권일까요?

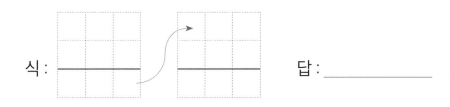

식 : _____   답 : _____

② 지은이는 사탕을 21개 가지고 있고, 우람이는 지은이보다 사탕을 14개 더 가지고 있습니다. 지은이와 우람이가 가진 사탕은 모두 몇 개일까요?

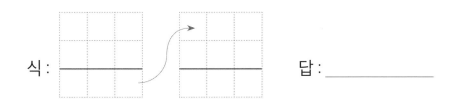

식 : _____   답 : _____

여러 가지 합 구하기

❀ 알맞은 식을 쓰고 답을 구하세요.

미래는 어제 동화책을 30쪽 읽었고, 오늘은 24쪽 읽었습니다. 미래가 내일 동화책을 33쪽 읽으면 3일 동안 읽은 동화책은 모두 몇 쪽이 될까요?

식 :

	3	0
+	2	4
	5	4

어제와 오늘
읽은 동화책

	5	4
+	3	3
	8	7

3일 동안
읽은 동화책

답 : __87쪽__

① 주머니에 빨간 구슬이 25개, 노란 구슬이 10개, 파란 구슬이 44개 있습니다. 주머니에 있는 구슬은 모두 몇 개일까요?

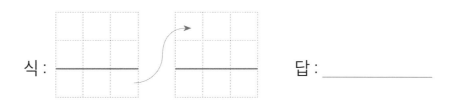

식 : _____   _____   답 : _____

② 화단에 장미 12송이, 튤립 33송이, 국화 23송이가 피었습니다. 화단에 핀 꽃은 모두 몇 송이일까요?

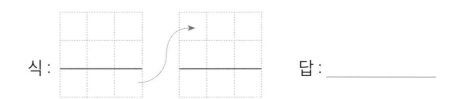

식 : _____   _____   답 : _____

세 수를 더할 때는 먼저 두 수를 더한 후 나머지 수를 더해.

❀ 책을 상자에 넣어 쌓았습니다. 물음에 답하세요.

동화책은 모두 몇 권일까요?

(윗줄에 있는 동화책)+(아랫줄에 있는 동화책)=(동화책)

24+15 = 39(권)

39권

① 그림책은 모두 몇 권일까요?

_____

② 아랫줄에 있는 책은 모두 몇 권일까요?

_____

③ 그림책과 만화책은 모두 몇 권일까요?

_____

✎ 알맞은 식을 쓰고 답을 구하세요.

① 농장에 돼지 22마리와 소 6마리가 있습니다. 농장에 있는 돼지와 소는 모두 몇 마리일까요?

식 : _____   답 : _____

② 공원에 비둘기가 40마리, 오리가 40마리 있습니다. 공원에 있는 비둘기와 오리는 모두 몇 마리일까요?

식 : _____   답 : _____

③ 운동장에 남학생이 82명 있고, 여학생은 남학생보다 15명 더 많습니다. 운동장에 있는 여학생은 몇 명일까요?

식 : _____   답 : _____

④ 바둑판 위에 검은 바둑돌이 33개, 흰 바둑돌이 45개 있습니다. 바둑판 위에 있는 바둑돌은 모두 몇 개일까요?

식 : _____   답 : _____

✎ 알맞은 식을 쓰고 답을 구하세요.

⑤ 연못에 두루미가 11마리 있습니다. 오리는 두루미보다 12마리 더 많고, 개구리는 오리보다 24마리 더 많습니다. 연못에 있는 개구리는 몇 마리일까요?

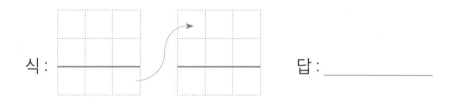

식 : _____ _____   답 : _____

⑥ 시은이네 집에 볼펜이 23자루 있고, 연필은 볼펜보다 33자루 더 많습니다. 시은이네 집에 있는 볼펜과 연필은 모두 몇 자루일까요?

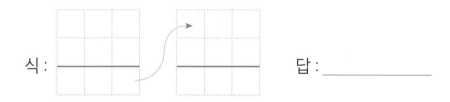

식 : _____ _____   답 : _____

⑦ 저금통에 오백원 동전이 31개 있고, 백원 동전은 오백원 동전보다 24개 더 많습니다. 저금통에 있는 오백원 동전과 백원 동전은 모두 몇 개일까요?

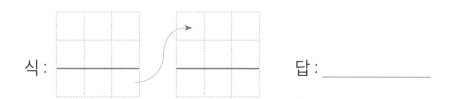

식 : _____ _____   답 : _____

📝 과일을 상자에 넣어 쌓았습니다. 물음에 답하세요.

⑧ 귤은 모두 몇 개일까요?

_____

⑨ 윗줄에 있는 과일은 모두 몇 개일까요?

_____

⑩ 아랫줄에 있는 과일은 모두 몇 개일까요?

_____

⑪ 사과와 배는 모두 몇 개일까요?

_____

3주차

두 자리 뺄셈

✿ 세로셈 식을 완성하고 밑줄친 곳에 알맞은 수를 구하세요.

35보다 4 작은 수는 ___**31**___ 입니다.

묶음	낱개
3	5
−	4
3	1
3	5-4

① 46보다 3 작은 수는 _____ 입니다.

4	6
−	3

② 88 빼기 7은 _____ 과 같습니다.

8	8
−	

③ 57과 5의 차는 _____ 입니다.

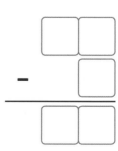

 알맞은 식을 쓰고 답을 구하세요.

시우의 언니는 15살이고 시우는 언니보다 2살 더 적습니다. 시우의 나이는 몇 살일까요?

식 :
$$\begin{array}{r} 1\ 5 \\ -\quad 2 \\ \hline 1\ 3 \end{array}$$
답 : __13살__

① 색종이 66장이 있었는데 6장을 종이접기에 사용했습니다. 남아 있는 색종이는 몇 장일까요?

식 : _____ 답 : _____

② 주차장에 택시가 28대, 트럭이 5대 있습니다. 택시는 트럭보다 몇 대 더 많을까요?

식 : _____ 답 : _____

③ 가람이는 스티커를 74장 모았고, 온후는 가람이보다 스티커를 3장 더 적게 모았습니다. 온후가 모은 스티커는 몇 장일까요?

식 : _____ 답 : _____

(몇십)-(몇십)

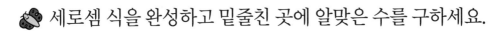 세로셈 식을 완성하고 밑줄친 곳에 알맞은 수를 구하세요.

50 빼기 10은 __40__ 과 같습니다.

	묶음	낱개
	5	0
−	1	0
	4	0
	5-1	0

① 70보다 20 작은 수는 _____ 입니다.

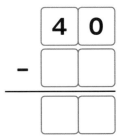

② 40 빼기 30은 _____ 과 같습니다.

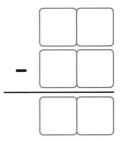

③ 80과 60의 차는 _____ 입니다.

(몇십)-(몇십)에서 일의 자리는 그대로, 십의 자리만 계산해.

알맞은 식을 쓰고 답을 구하세요.

할아버지의 연세는 80살, 큰아버지의 연세는 50살입니다. 할아버지는 큰아버지보다 몇 살 더 많을까요?

식 :
$$
\begin{array}{r}
8\ 0 \\
-\ 5\ 0 \\
\hline
3\ 0
\end{array}
$$

답 : **30살**

① 구현이네 학교에 배구공이 70개 있고, 농구공은 배구공보다 30개 더 적습니다. 구현이네 학교에 있는 농구공은 몇 개일까요?

식 : _____   답 : _____

② 냉장고에 사과가 10개씩 7봉지 들어 있었는데 10개를 먹었습니다. 냉장고에 남은 사과는 몇 개일까요?

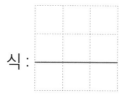

식 : _____   답 : _____

③ 공원에 비둘기가 90마리 있었는데 20마리가 날아갔습니다. 공원에 남은 비둘기는 몇 마리일까요?

식 : _____   답 : _____

🐝 세로셈 식을 완성하고 밑줄친 곳에 알맞은 수를 구하세요.

83과 32의 차는 __51__ 입니다.

묶음	낱개
8	**3**
3	**2**
5	**1**
8-3	3-2

(− 기호)

① 77보다 35 작은 수는 _____ 입니다.

7	**7**
3	**5**

(− 기호)

② 35 빼기 15는 _____ 과 같습니다.

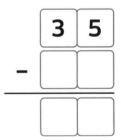

③ 99와 24의 차는 _____ 입니다.

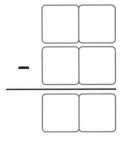

세로셈 빼기에서는 위아래로 나란히 있는 숫자끼리 빼면 돼.

🐝 알맞은 식을 쓰고 답을 구하세요.

목장에 사슴이 48마리 있고, 양은 사슴보다 24마리 더 적습니다. 목장에 있는 양은 몇 마리일까요?

식 :
$$\begin{array}{r} 4\ 8 \\ -\ 2\ 4 \\ \hline 2\ 4 \end{array}$$
답 : 24마리

① 기차에 64명이 타고 있었는데 30명이 내렸습니다. 기차에 타고 있는 사람은 몇 명일까요?

식 : _____   답 : _____

② 경수는 59쪽짜리 만화책을 읽고 있는데 지금까지 19쪽 읽었습니다. 남은 만화책은 몇 쪽일까요?

식 : _____   답 : _____

③ 지우는 우표를 85장 모았고, 가은이는 73장 모았습니다. 지우는 가은이보다 우표를 몇 장 더 모았을까요?

식 : _____   답 : _____

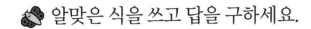 알맞은 식을 쓰고 답을 구하세요.

꽃 가게에 장미가 35송이 있습니다. 튤립은 장미보다 10송이 더 적고, 국화는 튤립보다 3송이 더 적습니다. 꽃 가게에 있는 국화는 모두 몇 송이일까요?

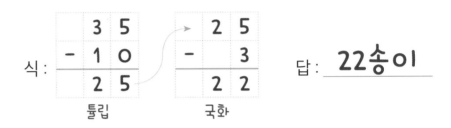

식 :

답 : **22송이**

① 엄마의 나이는 47살입니다. 삼촌은 엄마보다 13살 더 어리고, 이모는 삼촌보다 4살 더 어립니다. 이모의 나이는 몇 살일까요?

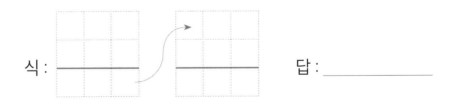

식 :

답 :

② 저금통에 백원 동전이 68개 있습니다. 오백원 동전은 백원 동전보다 26개 더 적고, 십원 동전은 오백원 동전보다 30개 더 적습니다. 저금통에 있는 십원 동전은 몇 개일까요?

식 :

답 :

두 번 빼는 문제는 원래 수에서 1번 뺀 값에서 1번 더 빼야 해.

🎨 알맞은 식을 쓰고 답을 구하세요.

정후는 56쪽짜리 소설책을 읽으려고 합니다. 어제 소설책을 3쪽 읽었고, 오늘 소설책을 22쪽 읽었습니다. 남은 소설책은 몇 쪽일까요?

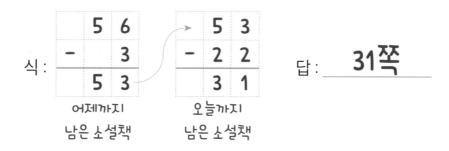

식 :

$$\begin{array}{r} 5\ 6 \\ -\quad 3 \\ \hline 5\ 3 \end{array} \rightarrow \begin{array}{r} 5\ 3 \\ -\ 2\ 2 \\ \hline 3\ 1 \end{array}$$

어제까지 남은 소설책   오늘까지 남은 소설책

답 : __31쪽__

① 학교에 학생 87명이 있었습니다. 51명이 먼저 집으로 갔고, 12명이 더 집으로 갔습니다. 학교에 남은 학생은 몇 명일까요?

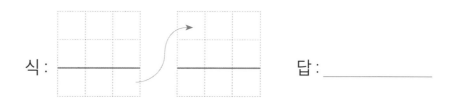

식 : _____ _____   답 : _____

② 냉장고에 귤 75개가 있었습니다. 25개는 이웃집에 나누어 주고, 40개는 가족들과 함께 먹었습니다. 냉장고에 남은 귤은 몇 개일까요?

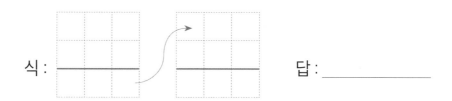

식 : _____ _____   답 : _____

✿ 알맞은 식을 쓰고 답을 구하세요.

흰 바둑돌이 52개 있고, 검은 바둑돌은 흰 바둑돌보다 20개 더 적습니다. 바둑돌은 모두 몇 개일까요?

식 :

검은 바둑돌   바둑돌

답 : 84개

① 오빠는 24살이고, 언니는 오빠보다 3살 더 어립니다. 오빠와 언니의 나이 합은 몇 살일까요?

식 :
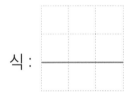 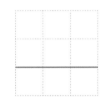

답 :

② 냉장고에 자두가 43개 있습니다. 복숭아는 자두보다 12개 더 적고, 사과는 복숭아보다 37개 더 많습니다. 냉장고에 있는 사과는 몇 개일까요?

식 :
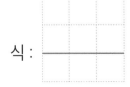 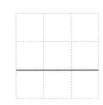

답 :

✿ 알맞은 식을 쓰고 답을 구하세요.

1반에는 여학생이 14명, 남학생이 15명 있고, 2반에는 학생이 25명 있습니다. 1반과 2반 학생 수의 차는 몇 명일까요?

식 :

	1	4
+	1	5
	2	9

1반
학생 수

	2	9
−	2	5
		4

두 반의
학생 수 차

답 : __4명__

① 빨간 사과가 27개, 초록 사과가 40개 있고, 귤이 87개 있습니다. 사과와 귤의 개수 차는 몇 개일까요?

식 : 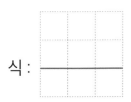 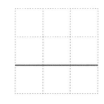   답 : _____

② 빨강 색종이가 35장 있습니다. 노랑 색종이는 빨강 색종이보다 53장 더 많고, 파랑 색종이는 노랑 색종이보다 70장 더 적습니다. 파랑 색종이는 몇 장일까요?

식 : 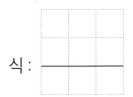 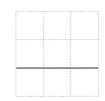   답 : _____

✎ 알맞은 식을 쓰고 답을 구하세요.

① 밤나무에 밤이 98개 열려 있었는데 6개를 땄습니다. 밤나무에 남은 밤은 몇 개일까요?

식 : _____   답 : _____

② 놀이 공원에 남자 아이가 60명 있고, 여자 아이는 남자 아이보다 20명 더 적습니다. 놀이 공원에 있는 여자 아이는 몇 명일까요?

식 : _____   답 : _____

③ 상자에 귤이 74개 있었는데 10개씩 2봉지를 냉장고에 넣었습니다. 상자에 남은 귤은 몇 개일까요?

식 : _____   답 : _____

④ 전깃줄에 참새가 38마리 앉아 있고, 제비는 참새보다 13마리 더 적게 앉아 있습니다. 전깃줄에 앉아 있는 제비는 몇 마리일까요?

식 : _____   답 : _____

✎ 알맞은 식을 쓰고 답을 구하세요.

⑤ 가은이는 우표를 99장 모았습니다. 나희는 가은이보다 33장 더 적게 모았고, 다혜는 나희보다 14장 더 적게 모았습니다. 다혜가 모은 우표는 몇 장일까요?

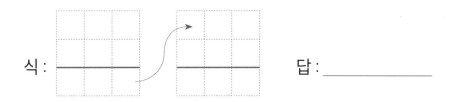

식 : _____   답 : _____

⑥ 버스에 38명이 타고 있었습니다. 한 정류장에서 11명이 내렸고, 다음 정류장에서 10명이 내렸습니다. 버스에 남은 사람은 몇 명일까요?

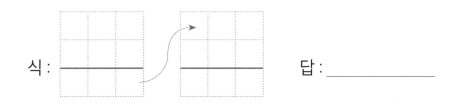

식 : _____   답 : _____

⑦ 과일 가게에 귤이 55개 있습니다. 사과는 귤보다 21개 더 적고, 배는 사과보다 13개 더 적습니다. 과일 가게에 있는 배는 몇 개일까요?

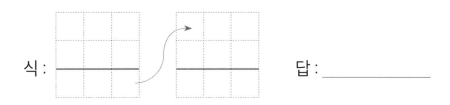

식 : _____   답 : _____

✎ 알맞은 식을 쓰고 답을 구하세요.

⑧ 강당에 의자가 63개 있고, 책상은 의자보다 42개 더 적습니다. 강당에 있는 의자와 책상은 모두 몇 개일까요?

식 : _____ _____   답 : _____

⑨ 명우는 텃밭에서 감자를 54개 캤습니다. 고구마는 감자보다 34개 더 적게 캤고, 당근은 고구마보다 15개 더 많이 캤습니다. 명우가 캔 당근은 몇 개일까요?

식 : _____ _____   답 : _____

⑩ 꽃 가게에 장미 44송이와 튤립 96송이가 있었는데 장미를 31송이 더 가져왔습니다. 튤립은 장미보다 몇 송이 더 많을까요?

식 : _____ _____   답 : _____

4주차

어떤 수 구하기

✿ 세로셈 식을 완성하여 어떤 수를 구하세요.

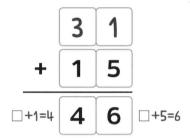

어떤 수와 15의 합은 46입니다.
어떤 수는 얼마입니까?

<u>31</u>

①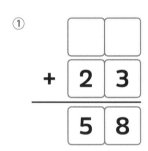

어떤 수보다 23 큰 수는 58입니다.
어떤 수는 얼마입니까?

②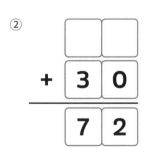

어떤 수 더하기 30은 72와 같습니다.
어떤 수는 얼마입니까?

③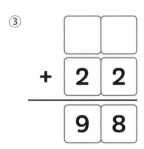

어떤 수와 22의 합은 98입니다.
어떤 수는 얼마입니까?

두 숫자를 각각 네모로 나타낸 후, 숫자를 하나씩 구하면 돼.

🌸 어떤 수를 네모로 나타낸 식을 쓰고 답을 구하세요.

빨강 색종이 몇 장과 노랑 색종이 14장을 모으면 색종이는 모두 29장입니다. 빨강 색종이는 몇 장일까요?

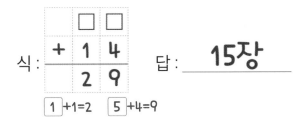

식 :　　　　　　　답 : __15장__

1 +1=2　　5 +4=9

① 현지는 기웅이보다 구슬을 5개 더 많이 가지고 있습니다. 현지가 가진 구슬이 57개일 때 기웅이가 가진 구슬은 몇 개일까요?

식 : _____　　답 : _____

② 공원에 비둘기 33마리가 더 날아와서 비둘기는 모두 96마리가 되었습니다. 원래 공원에 있던 비둘기는 몇 마리일까요?

식 : _____　　답 : _____

🐞 세로셈 식을 완성하여 어떤 수를 구하세요.

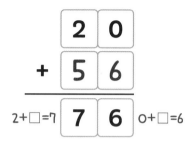

2+□=7 0+□=6

20 더하기 어떤 수는 76과 같습니다.
어떤 수는 얼마입니까?

___56___

①

$\begin{array}{r} 1\ 7 \\ +\ \ \ \ \\ \hline 3\ 8 \end{array}$

17보다 어떤 수만큼 큰 수는 38입니다.
어떤 수는 얼마입니까?

_____

②

$\begin{array}{r} 3\ 5 \\ +\ \ \ \ \\ \hline 7\ 5 \end{array}$

35 더하기 어떤 수는 75와 같습니다.
어떤 수는 얼마입니까?

_____

③

$\begin{array}{r} 4\ 6 \\ +\ \ \ \ \\ \hline 5\ 9 \end{array}$

46과 어떤 수의 합은 59입니다.
어떤 수는 얼마입니까?

_____

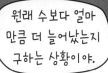

원래 수보다 얼마만큼 더 늘어났는지 구하는 상황이야.

 어떤 수를 네모로 나타낸 식을 쓰고 답을 구하세요.

버스에 15명이 타고 있었는데 정류장에서 몇 명이 더 타서 39명이 되었습니다. 정류장에서 더 탄 사람은 몇 명일까요?

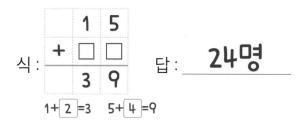

식 :
```
   1 5
+  □ □
   3 9
```
1+ 2 =3   5+ 4 =9

답 : 24명

① 진구는 어제까지 그림책을 27쪽 읽었습니다. 오늘까지 읽은 그림책이 47쪽이 되려면 오늘 읽어야 하는 그림책은 몇 쪽일까요?

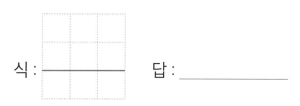

식 : _____   답 : _____

② 연못에 오리 61마리와 두루미 몇 마리가 있습니다. 연못에 있는 오리와 두루미가 모두 66마리일 때 두루미는 몇 마리일까요?

식 : _____   답 : _____

(어떤 수)-(몇)

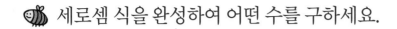

🐝 세로셈 식을 완성하여 어떤 수를 구하세요.

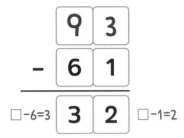

□-6=3   □-1=2

어떤 수 빼기 61은 32와 같습니다.
어떤 수는 얼마입니까?

93

①

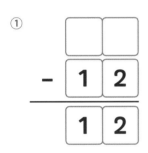

어떤 수보다 12 작은 수는 12입니다.
어떤 수는 얼마입니까?

②

어떤 수 빼기 28은 40입니다.
어떤 수는 얼마입니까?

③

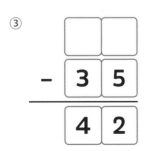

어떤 수보다 35 작은 수는 42입니다.
어떤 수는 얼마입니까?

🐝 어떤 수를 네모로 나타낸 식을 쓰고 답을 구하세요.

동물 농장에 소가 돼지보다 40마리 더 적은 26마리 있습니다. 동물 농장에 있는 돼지는 몇 마리일까요?

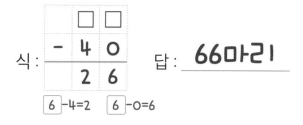

식 :
```
  □ □
- 4 0
  2 6
```
6 -4=2   6 -0=6

답 : __66마리__

① 라연이는 우표를 산이보다 11장 더 적은 46장 가지고 있습니다. 산이가 가지고 있는 우표는 몇 장일까요?

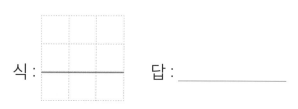

식 : _____   답 : _____

② 꽃 가게에서 하루 동안 장미 82송이를 팔고 5송이가 남았습니다. 꽃 가게에 원래 있던 장미는 몇 송이일까요?

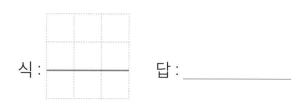

식 : _____   답 : _____

🦋 세로셈 식을 완성하여 어떤 수를 구하세요.

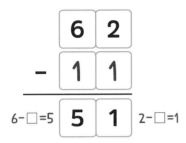

6-□=5 2-□=1

62보다 어떤 수만큼 작은 수는 51입니다.
어떤 수는 얼마입니까?

__11__

①

57 빼기 어떤 수는 34와 같습니다.
어떤 수는 얼마입니까?

②

85보다 어떤 수만큼 작은 수는 81입니다.
어떤 수는 얼마입니까?

③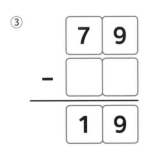

79 빼기 어떤 수는 19와 같습니다.
어떤 수는 얼마입니까?

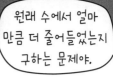

🐞 어떤 수를 네모로 나타낸 식을 쓰고 답을 구하세요.

과일 가게에 오렌지 73개가 있었습니다. 하루 동안 오렌지를 팔았더니 22개가 남았습니다. 과일 가게에서 하루 동안 판 오렌지는 몇 개일까요?

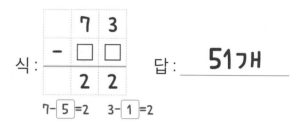

식 :

답 : __51개__

7-⑤=2   3-①=2

① 올해 65살인 할아버지가 자신이 33살 때의 사진을 보여주셨습니다. 할아버지가 33살이던 때는 몇 년 전일까요?

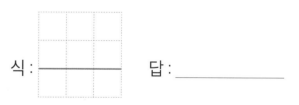

식 : _____   답 : _____

② 두현이는 색종이를 54장 가지고 있고, 국진이는 두현이보다 몇 장 더 적은 14장 가지고 있습니다. 국진이가 가진 색종이는 두현이보다 몇 장 더 적을까요?

식 : _____   답 : _____

잘못된 계산

🏵 빈칸에 알맞은 수가 같은 것끼리 이어 보세요.

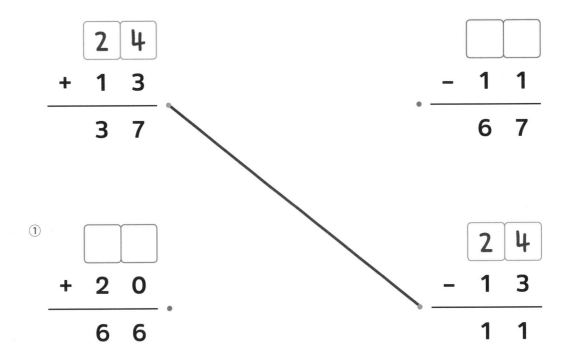

더해야 하는데 빼는 실수를 한 적이 누구나 있지 않아?

✿ 잘못된 계산값을 보고 올바르게 계산한 값을 구하세요.

어떤 수에 23을 더해야 하는데 잘못하여 뺐더니 계산값이 11이 되었습니다. 올바르게 계산한 값은 얼마일까요?

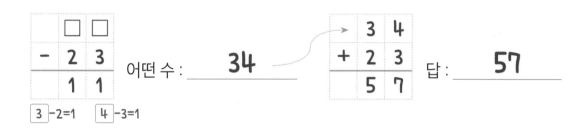

어떤 수 : __34__   답 : __57__

3 −2=1   4 −3=1

① 어떤 수에 30을 더해야 하는데 잘못하여 뺐더니 계산값이 27이 되었습니다. 올바르게 계산한 값은 얼마일까요?

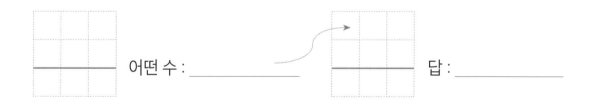

어떤 수 : _____   답 : _____

② 어떤 수에서 12를 빼야 하는데 잘못하여 더했더니 계산값이 88이 되었습니다. 올바르게 계산한 값은 얼마일까요?

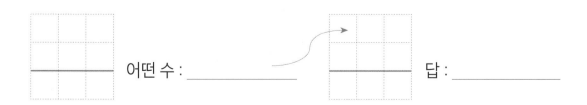

어떤 수 : _____   답 : _____

✏️ 세로셈 식을 완성하여 어떤 수를 구하세요.

①

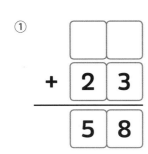

어떤 수보다 23 큰 수는 58입니다.
어떤 수는 얼마입니까?

_____

②

```
  5 0
+ □ □
─────
  7 8
```

50 더하기 어떤 수는 78과 같습니다.
어떤 수는 얼마입니까?

_____

③

```
  □ □
- 5 6
─────
  2 0
```

어떤 수보다 56 작은 수는 20입니다.
어떤 수는 얼마입니까?

_____

④

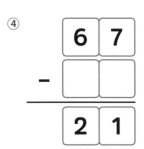

67 빼기 어떤 수는 21과 같습니다.
어떤 수는 얼마입니까?

_____

✎ 어떤 수를 네모로 나타낸 식을 쓰고 답을 구하세요.

⑤ 냉장고에 귤 27개를 더 넣었더니 귤은 모두 58개가 되었습니다. 냉장고에 원래 있던 귤은 몇 개일까요?

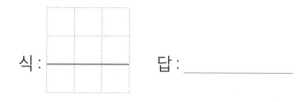

식 : —————— 답 : ——————

⑥ 시운이가 가진 연필은 36자루였는데 몇 자루를 더 사서 48자루가 되었습니다. 시운이가 더 산 연필은 몇 자루일까요?

식 : —————— 답 : ——————

⑦ 연수가 가진 색종이 중 24장을 종이접기에 사용하고 74장이 남았습니다. 연수가 원래 가지고 있던 색종이는 몇 장일까요?

식 : —————— 답 : ——————

⑧ 우영이가 쿠키 46개를 만들어서 몇 개를 먹었더니 20개가 남았습니다. 우영이가 먹은 쿠키는 몇 개일까요?

식 : —————— 답 : ——————

✎ 잘못된 계산값을 보고 올바르게 계산한 값을 구하세요.

⑨ 어떤 수에서 40을 빼야 하는데 잘못하여 더했더니 계산값이 89가 되었습니다. 올바르게 계산한 값은 얼마일까요?

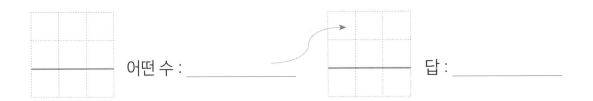

어떤 수 : _____   답 : _____

⑩ 어떤 수에 2를 더해야 하는데 잘못하여 뺐더니 계산값이 34가 되었습니다. 올바르게 계산한 값은 얼마일까요?

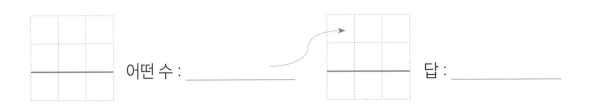

어떤 수 : _____   답 : _____

⑪ 어떤 수에서 21을 빼야 하는데 잘못하여 더했더니 계산값이 63이 되었습니다. 올바르게 계산한 값은 얼마일까요?

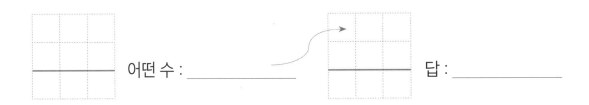

어떤 수 : _____   답 : _____

진단평가

진단평가에는 앞에서 학습한 4주차의 문장제 활동이 순서대로 나옵니다. 잘못 푼 문제가 있으면 몇 주차인지 확인하여 반드시 한 번 더 복습해 봅니다.

1주차	3주차
2주차	4주차

✎ 알맞은 식을 쓰고 답을 구하세요.

① 주차장에 자동차가 5대 있었는데 3대가 더 왔습니다. 주차장에 있는 자동차는 모두 몇 대일까요?

식 : _____   답 : _____

② 화단에 튤립이 2송이 있었는데 1송이가 더 피었습니다. 화단에 있는 튤립은 모두 몇 송이일까요?

식 : _____   답 : _____

✎ 알맞은 식을 쓰고 답을 구하세요.

③ 분식집에서 야채 김밥 30줄, 치즈 김밥 12줄, 참치 김밥 24줄을 만들었습니다. 분식집에서 만든 김밥은 모두 몇 줄일까요?

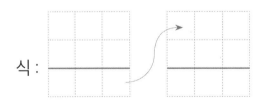

식 : _____   답 : _____

④ 지웅이는 그림책을 14권, 동화책을 21권, 위인전을 42권 가지고 있습니다. 지웅이가 가진 책은 모두 몇 권일까요?

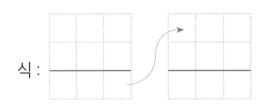

식 : _____   답 : _____

✎ 알맞은 식을 쓰고 답을 구하세요.

⑤ 아린이는 초콜릿 69개를 만들었습니다. 초콜릿 32개는 친구들에게 나누어 주고, 35개는 오빠와 나누어 먹었습니다. 남은 초콜릿은 몇 개일까요?

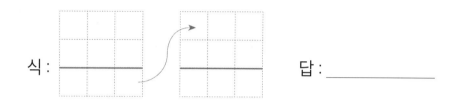

식 :   답 : _____

⑥ 공원에 소나무가 88그루 있습니다. 은행나무는 소나무보다 12그루 더 적고, 전나무는 은행나무보다 45그루 더 적습니다. 공원에 있는 전나무는 몇 그루일까요?

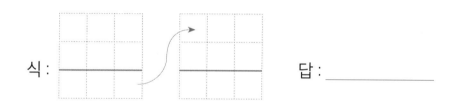

식 :   답 : _____

✎ 어떤 수를 네모로 나타낸 식을 쓰고 답을 구하세요.

⑦ 기차에 타고 있던 사람 중 35명이 역에서 내렸더니 기차에 남은 사람은 14명이었습니다. 원래 기차에 타고 있던 사람은 몇 명일까요?

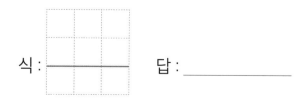

식 :   답 : _____

✎ 알맞은 식을 쓰고 답을 구하세요.

① 강우는 연필 4자루, 볼펜 5자루를 가지고 있습니다. 강우가 가지고 있는 연필과 볼펜은 모두 몇 자루일까요?

식 : _____   답 : _____

② 동물 카페에 강아지가 4마리, 고양이가 2마리 있습니다. 동물 카페에 있는 강아지와 고양이는 모두 몇 마리일까요?

식 : _____   답 : _____

✎ 알맞은 식을 쓰고 답을 구하세요.

③ 과일 가게에 사과가 71개 있었는데 5개를 더 들여왔습니다. 과일 가게에 있는 사과는 몇 개일까요?

식 : _____   답 : _____

④ 현아는 어제 줄넘기를 94번 했고, 오늘은 어제보다 1번 더 했습니다. 현아가 오늘 한 줄넘기는 몇 번일까요?

식 : _____   답 : _____

✎ 알맞은 식을 쓰고 답을 구하세요.

⑤ 연못에 붕어가 32마리 있고, 잉어는 붕어보다 21마리 더 적습니다. 연못에 있는 붕어와 잉어는 모두 몇 마리일까요?

식 : _____ 답 : _____

⑥ 버스에 36명이 타고 있었습니다. 다음 정류장에서 13명이 타고 25명이 내렸습니다. 버스에 남은 사람은 몇 명일까요?

식 : _____ 답 : _____

✎ 어떤 수를 네모로 나타낸 식을 쓰고 답을 구하세요.

⑦ 창고에 빗자루가 98개 있었는데 몇 개를 나누어 주었더니 77개가 남았습니다. 나누어 준 빗자루는 몇 개일까요?

식 : _____ 답 : _____

✎ 알맞은 식을 쓰고 답을 구하세요.

① 스쿨버스에 5명이 타고 있었는데 2명이 내렸습니다. 스쿨버스에 남은 사람은 몇 명일까요?

식 : _____   답 : _____

② 명은이는 과자를 9개 가지고 있었는데 3개를 친구에게 나누어 주었습니다. 명은이에게 남은 과자는 몇 개일까요?

식 : _____   답 : _____

✎ 알맞은 식을 쓰고 답을 구하세요.

③ 공원에 나무가 10그루 있었는데 30그루를 더 심었습니다. 공원에 있는 나무는 몇 그루입니까?

식 : _____   답 : _____

④ 냉장고에 흰색 달걀이 10개씩 3상자, 갈색 달걀이 10개씩 2상자 있습니다. 냉장고에 있는 달걀은 모두 몇 개일까요?

식 : _____   답 : _____

✎ 알맞은 식을 쓰고 답을 구하세요.

⑤ 강당에 안경을 쓴 어린이는 39명 있고, 안경을 쓰지 않은 어린이는 안경을 쓴 어린이보다 5명 더 적습니다. 안경을 쓰지 않은 어린이는 몇 명일까요?

식 : —————   답 : —————

⑥ 책꽂이에 동화책이 53권 있었는데 1권을 친구에게 빌려주었습니다. 책꽂이에 남은 동화책은 몇 권일까요?

식 : —————   답 : —————

✎ 잘못된 계산값을 보고 올바르게 계산한 값을 구하세요.

⑦ 어떤 수에 33을 더해야 하는데 잘못하여 뺐더니 계산값이 12가 되었습니다. 올바르게 계산한 값은 얼마일까요?

————   어떤 수 : —————   ————   답 : —————

✎ 알맞은 식을 쓰고 답을 구하세요.

① 전깃줄에 제비가 5마리, 참새가 4마리 앉아 있습니다. 제비는 참새보다 몇 마리 더 많을까요?

식 : _____   답 : _____

② 수영장에 여자 아이는 7명, 남자 아이는 9명 헤엄치고 있습니다. 남자 아이는 여자 아이보다 몇 명 더 많을까요?

식 : _____   답 : _____

✎ 알맞은 식을 쓰고 답을 구하세요.

③ 도서관에 위인전이 25권, 소설책이 51권 있습니다. 도서관에 있는 위인전과 소설책은 모두 몇 권일까요?

식 : _____   답 : _____

④ 우진이네 집에는 볼펜이 10자루씩 4묶음, 연필이 25자루 있습니다. 우진이네 집에 있는 볼펜과 연필은 모두 몇 자루일까요?

식 : _____   답 : _____

✎ 알맞은 식을 쓰고 답을 구하세요.

⑤ 학교 뒷산에 소나무가 90그루, 은행나무가 10그루 있습니다. 소나무는 은행나무
보다 몇 그루 더 많을까요?

식 : —————   답 : ——————

⑥ 연아의 삼촌은 30살이고, 연아는 삼촌보다 20살 더 어립니다. 연아는 몇 살일까
요?

식 : —————   답 : ——————

✎ 어떤 수를 네모로 나타낸 식을 쓰고 답을 구하세요.

⑦ 공원에 있는 소나무는 은행나무보다 50그루 더 많은 63그루입니다. 공원에 있는
은행나무는 몇 그루일까요?

식 : —————   답 : ——————

✎ 다음 문제를 식을 세워 단계별로 풀어 보세요.

① 동물 카페에 암컷 강아지 2마리와 수컷 강아지 5마리가 있고, 암컷 고양이 6마리와 수컷 고양이 3마리가 있습니다. 강아지와 고양이는 몇 마리 차이 날까요?

동물 카페에 있는 강아지   식 : _____   답 : _____

동물 카페에 있는 고양이   식 : _____   답 : _____

강아지와 고양이의 차   식 : _____   답 : _____

✎ 알맞은 식을 쓰고 답을 구하세요.

② 은주는 14살입니다. 고모는 은주보다 32살 더 많고, 아빠는 고모보다 3살 더 많습니다. 은주의 아빠는 몇 살일까요?

식 : _____   답 : _____

③ 동하는 쿠키를 23개 만들었고, 가연이는 동하보다 쿠키를 12개 더 만들었습니다. 두 사람이 만든 쿠키는 모두 몇 개일까요?

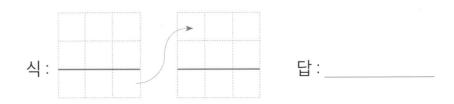

식 : _____   답 : _____

✎ 알맞은 식을 쓰고 답을 구하세요.

④ 주희의 이모는 26살이고 주희는 11살입니다. 이모는 주희보다 몇 살 더 많을까요?

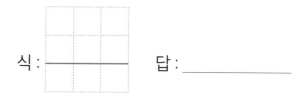

식 : ――――   답 : _____

⑤ 냉장고에 있는 초콜릿 47개 중 37개를 친구들과 나누어 먹었습니다. 냉장고에 남은 초콜릿은 몇 개일까요?

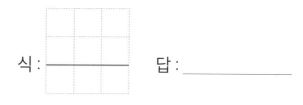

식 : ――――   답 : _____

✎ 어떤 수를 네모로 나타낸 식을 쓰고 답을 구하세요.

⑥ 스티커를 경주는50장 모았고, 희진이는 경주보다 더 많이 모았습니다. 희진이가 모은 스티커가 99장일 때 희진이는 경주보다 스티커를 몇 장 더 모았을까요?

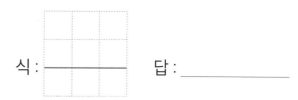

식 : ――――   답 : _____

Memo

하루 10분 서술형/문장제 학습지

씨투엠

수학 독해

정답

A2 덧셈과 뺄셈 I
초1~초2

사고가 자라는 수학

정답

A2 덧셈과 뺄셈 I
초1~초2

P 06 ~ 07

1일 첨가 상황 덧셈식

원래 있는 것에 새로운 것을 더해야 하는 상황이야.

✿ 그림에 알맞은 덧셈식을 쓰고 읽어 보세요.

| 2 | $+$ | 4 | $=$ | 6 |

2 더하기 4 는 6 과 같습니다.

| 3 | $+$ | 3 | $=$ | 6 |

3 더하기 3 은 6 과 같습니다.

| 5 | $+$ | 2 | $=$ | 7 |

5 더하기 2 는 7 과 같습니다.

| 7 | $+$ | 1 | $=$ | 8 |

7 더하기 1 은 8 과 같습니다.

✿ 알맞은 식을 쓰고 답을 구하세요.

공원에 비둘기가 3마리 있었는데 2마리가 더 날아왔습니다. 공원에 있는 비둘기는 몇 마리일까요?

식 : $3+2=5$ 답 : 5마리

(원래 있던 비둘기)+(새로 날아온 비둘기)=(비둘기)

① 냉장고에 감자가 4개 있었는데 5개를 더 사서 넣었습니다. 냉장고에 있는 감자는 몇 개일까요?

식 : $4+5=9$ 답 : 9개

② 정우는 스티커를 1장 가지고 있었는데 6장을 더 모았습니다. 정우가 가진 스티커는 몇 장일까요?

식 : $1+6=7$ 답 : 7장

③ 교실에 학생들이 2명 있었는데 6명이 더 들어왔습니다. 교실에 있는 학생들은 몇 명일까요?

식 : $2+6=8$ 답 : 8명

P 08 ~ 09

2일 합병 상황 덧셈식

각각 다른 모둠에 있는 것들을 모아서 더하는 상황이지.

✿ 그림에 알맞은 덧셈식을 쓰고 읽어 보세요.

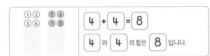

| 4 | $+$ | 4 | $=$ | 8 |

4 와 4 의 합은 8 입니다.

| 6 | $+$ | 1 | $=$ | 7 |

6 과 1 의 합은 7 입니다.

| 2 | $+$ | 4 | $=$ | 6 |

2 와 4 의 합은 6 입니다.

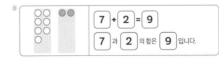

| 7 | $+$ | 2 | $=$ | 9 |

7 과 2 의 합은 9 입니다.

✿ 알맞은 식을 쓰고 답을 구하세요.

운동장에 남자 어린이 2명과 여자 어린이 2명이 놀고 있습니다. 운동장에 있는 어린이는 모두 몇 명일까요?

식 : $2+2=4$ 답 : 4명

(남자 어린이)+(여자 어린이)=(어린이)

① 지은이는 바지를 3벌, 치마를 4벌 가지고 있습니다. 지은이가 가지고 있는 바지와 치마는 모두 몇 벌일까요?

식 : $3+4=7$ 답 : 7벌

② 공원에 밤나무가 4그루, 소나무가 1그루 있습니다. 공원에 있는 나무는 모두 몇 그루일까요?

식 : $4+1=5$ 답 : 5그루

③ 우표를 기현이는 6장, 동하는 2장 가지고 있습니다. 두 사람이 가지고 있는 우표는 모두 몇 장일까요?

식 : $6+2=8$ 답 : 8장

P 10~11

3일 제거 상황 뺄셈식

원래 있던 것에서 몇 개가 없어지고 남는 것을 구하는 거야.

🐝 그림에 알맞은 뺄셈식을 쓰고 읽어 보세요.

$6 - 2 = 4$

6 빼기 2 는 4 와 같습니다.

①

$5 - 3 = 2$

5 빼기 3 은 2 와 같습니다.

②

$9 - 4 = 5$

9 빼기 4 는 5 와 같습니다.

③

$8 - 5 = 3$

8 빼기 5 는 3 과 같습니다.

🐝 알맞은 식을 쓰고 답을 구하세요.

연못에 오리가 7마리 있었는데 6마리가 날아갔습니다. 연못에 남은 오리는 몇 마리일까요?

식 : $7-6=1$ 답 : 1마리

(원래 있던 오리)-(날아간 오리)=(남은 오리)

① 준우는 양초 3개에 입으로 바람을 불어서 2개를 꺼뜨렸습니다. 켜져 있는 양초는 몇 개일까요?

식 : $3-2=1$ 답 : 1개

② 어항에 금붕어가 6마리 있었는데 2마리는 다른 곳으로 옮겼습니다. 어항에 남은 금붕어는 몇 마리일까요?

식 : $6-2=4$ 답 : 4마리

③ 희진이는 사탕 4개를 가지고 있었는데 1개를 먹었습니다. 희진이에게 남은 사탕은 몇 개일까요?

식 : $4-1=3$ 답 : 3개

P 12~13

4일 비교 상황 뺄셈식

두 모둠의 수를 비교하여 큰 수에서 작은 수를 빼는 상황이지.

🐝 그림에 알맞은 뺄셈식을 쓰고 읽어 보세요.

$5 - 2 = 3$

5 와 2 의 차는 3 입니다.

①

$4 - 3 = 1$

4 와 3 의 차는 1 입니다.

②

$6 - 4 = 2$

6 과 4 의 차는 2 입니다.

③

$7 - 2 = 5$

7 과 2 의 차는 5 입니다.

🐝 알맞은 식을 쓰고 답을 구하세요.

주머니 안에 검은 바둑돌이 4개, 흰 바둑돌이 2개 들어 있습니다. 검은 바둑돌은 흰 바둑돌보다 몇 개 더 많을까요?

식 : $4-2=2$ 답 : 2개

(검은 바둑돌)-(흰 바둑돌)=(두 바둑돌의 차)

① 주차장에 버스가 3대, 트럭이 6대 주차되어 있습니다. 트럭은 버스보다 몇 대 더 많을까요?

식 : $6-3=3$ 답 : 3대

② 사탕을 진아는 9개, 현수는 4개 가지고 있습니다. 진아는 현수보다 사탕을 몇 개 더 가지고 있을까요?

식 : $9-4=5$ 답 : 5개

③ 호수에 두루미가 1마리, 오리가 8마리 있습니다. 오리는 두루미보다 몇 마리 더 많을까요?

식 : $8-1=7$ 답 : 7마리

1주 덧셈식과 뺄셈식

P 14 ~ 15

5일 여러 단계 합차 문제

> 단계별로 합 또는 차를 차근차근 계산하면 답을 구할 수 있어.

❀ 다음 문제를 식을 세워 단계별로 풀어 보세요.

교실에 안경을 쓴 아이는 4명이고, 안경을 쓰지 않은 아이는 안경을 쓴 아이보다 2명 더 적습니다. 교실에 있는 아이는 모두 몇 명일까요?

안경을 쓰지 않은 아이　식 : __4-2=2__　답 : __2명__
(안경을 쓴 아이)-(2명)=(안경을 쓰지 않은 아이)

교실에 있는 아이　식 : __4+2=6__　답 : __6명__
(안경을 쓴 아이)+(안경을 쓰지 않은 아이)=(아이)

① 누나는 딸기를 3개 먹었고, 동생은 누나보다 딸기를 1개 더 먹었습니다. 누나와 동생이 먹은 딸기는 모두 몇 개일까요?

동생이 먹은 딸기　식 : __3+1=4__　답 : __4개__

누나와 동생이 먹은 딸기　식 : __3+4=7__　답 : __7개__

② 현재는 5살이고, 현재의 동생은 현재보다 4살 더 어립니다. 현재와 동생의 나이의 합은 몇 살일까요?

동생의 나이　식 : __5-4=1__　답 : __1살__

현재와 동생의 나이 합　식 : __5+1=6__　답 : __6살__

❀ 다음 문제를 식을 세워 단계별로 풀어 보세요.

경아는 색종이를 8장 가지고 있고, 성지는 빨강 색종이를 3장, 파랑 색종이를 2장 가지고 있습니다. 두 사람이 가진 색종이는 몇 장 차이일까요?

성지가 가진 색종이　식 : __3+2=5__　답 : __5장__
(빨강 색종이)+(파랑 색종이)=(성지의 색종이)

색종이의 차　식 : __8-5=3__　답 : __3장__
(경아의 색종이)-(성지의 색종이)=(색종이의 차)

① 지훈이는 책을 6권 읽었고, 가연이는 동화책을 1권, 만화책을 4권 읽었습니다. 두 사람이 읽은 책은 몇 권 차이일까요?

가연이가 읽은 책　식 : __1+4=5__　답 : __5권__

책의 차　식 : __6-5=1__　답 : __1권__

② 상자에 사과가 3개, 배가 4개 들어 있고, 봉지에 배가 5개 들어 있습니다. 상자와 봉지에 담긴 과일은 몇 개 차이일까요?

상자에 있는 과일　식 : __3+4=7__　답 : __7개__

과일의 차　식 : __7-5=2__　답 : __2개__

P 16 ~ 17

확인학습

✎ 그림에 알맞은 식을 쓰고 읽어 보세요.

①

| 4 | + | 4 | = | 8 |

4 더하기 4 는 8 과 같습니다.

②

| 3 | + | 2 | = | 5 |

3 과 2 의 합은 5 입니다.

③

| 7 | - | 1 | = | 6 |

7 빼기 1 은 6 과 같습니다.

④
| 7 | - | 3 | = | 4 |

7 과 3 의 차는 4 입니다.

✎ 알맞은 식을 쓰고 답을 구하세요.

⑤ 냉장고에 고구마가 2개, 감자가 8개 있습니다. 감자는 고구마보다 몇 개 더 많을까요?

식 : __8-2=6__　답 : __6개__

⑥ 시우는 빨강 색종이 3장, 파랑 색종이 1장을 샀습니다. 시우가 산 색종이는 모두 몇 장일까요?

식 : __3+1=4__　답 : __4장__

⑦ 진주는 바지를 3벌 가지고 있었는데 엄마가 6벌 더 사주셨습니다. 진주가 가진 바지는 모두 몇 벌일까요?

식 : __3+6=9__　답 : __9벌__

⑧ 마음이는 동전을 4개 가지고 있었는데 2개를 저금통에 넣었습니다. 마음이에게 남은 동전은 몇 개일까요?

식 : __4-2=2__　답 : __2개__

P 18

확인학습

✎ 다음 문제를 식을 세워 단계별로 풀어 보세요.

⑨ 냉장고에 귤이 5개 있고, 사과는 귤보다 1개 더 적습니다. 냉장고에 있는 귤과 사과 는 모두 몇 개일까요?

냉장고에 있는 사과   식 : **5-1=4**   답 : 4개

냉장고에 있는 귤과 사과   식 : **5+4=9**   답 : 9개

⑩ 교실에 여자 아이가 2명 있고, 남자 아이는 여자 아이보다 3명 더 많습니다. 교실 에 있는 아이는 모두 몇 명일까요?

교실에 있는 남자 아이   식 : **2+3=5**   답 : 5명

교실에 있는 아이   식 : **2+5=7**   답 : 7명

⑪ 수아는 다트를 과녁에 3개 맞혔고, 호진이는 수아보다 다트를 2개 더 많이 맞혔습 니다. 두 사람이 맞힌 다트는 모두 몇 개일까요?

호진이가 맞힌 다트   식 : **3+2=5**   답 : 5개

두 사람이 맞힌 다트   식 : **3+5=8**   답 : 8개

P 20 ~ 21

1일 (몇십몇)+(몇)

두 자리 덧셈부터는 세로셈으로 식을 만드는 것이 좋아.

세로셈 식을 완성하고 밑줄친 곳에 알맞은 수를 구하세요.

20보다 5 큰 수는 __25__ 입니다.

```
    묶음 낱개
     2  0
  +     5
     2  5
     2  0+5
```

① 32보다 2 큰 수는 __34__ 입니다.

```
     3  2
  +     2
     3  4
```

② 45 더하기 4는 __49__ 와 같습니다.

```
     4  5
  +     4
     4  9
```

③ 61과 8의 합은 __69__ 입니다.

```
     6  1
  +     8
     6  9
```

알맞은 식을 쓰고 답을 구하세요.

경훈이는 우표를 36장 가지고 있고, 민우는 경훈이보다 우표를 3장 더 가지고 있습니다. 민우가 가진 우표는 몇 장일까요?

```
       3  6
식 : +    3      답 : 39장
       3  9
```

① 정원에 장미가 52송이 피어 있었는데 3송이가 더 피었습니다. 정원에 있는 장미는 몇 송이일까요?

```
       5  2
식 : +    3      답 : 55송이
       5  5
```

② 올해 언니의 나이는 14살입니다. 4년 후에 언니의 나이는 몇 살일까요?

```
       1  4
식 : +    4      답 : 18살
       1  8
```

③ 흰 바둑돌이 80개 있고, 검은 바둑돌은 7개 있습니다. 바둑돌은 모두 몇 개일까요?

```
       8  0
식 : +    7      답 : 87개
       8  7
```

P 22 ~ 23

2일 (몇십)+(몇십)

(몇십)+(몇십)에서는 십의 자리 숫자만 계산하면 돼.

세로셈 식을 완성하고 밑줄친 곳에 알맞은 수를 구하세요.

20 더하기 30은 __50__ 과 같습니다.

```
    묶음 낱개
     2  0
  +  3  0
     5  0
     2+3 0
```

① 60보다 10 큰 수는 __70__ 입니다.

```
     6  0
  +  1  0
     7  0
```

② 20 더하기 20은 __40__ 과 같습니다.

```
     2  0
  +  2  0
     4  0
```

③ 50과 30의 합은 __80__ 입니다.

```
     5  0
  +  3  0
     8  0
```

알맞은 식을 쓰고 답을 구하세요.

수지는 빨간 색종이 10장과 노란 색종이 10장을 가지고 있습니다. 수지가 가지고 있는 색종이는 모두 몇 장일까요?

```
       1  0
식 : +  1  0     답 : 20장
       2  0
```

① 지원이는 도토리를 20개 주웠고, 우성이는 지원이보다 도토리를 40개 더 주웠습니다. 우성이가 주운 도토리는 몇 개일까요?

```
       2  0
식 : +  4  0     답 : 60개
       6  0
```

② 냉장고에 귤이 20개, 오렌지가 10개 있습니다. 냉장고에 있는 귤과 오렌지는 모두 몇 개일까요?

```
       2  0
식 : +  1  0     답 : 30개
       3  0
```

③ 꽃 가게에 튤립이 10송이씩 6다발, 국화가 10송이씩 3다발 있습니다. 꽃 가게에 있는 튤립과 국화는 모두 몇 송이일까요?

```
       6  0
식 : +  3  0     답 : 90송이
       9  0
```

P 24 ~ 25

3일 (몇십몇)+(몇십몇)

> 묶음은 묶음끼리 더
> 하고 낱개는 낱개끼리
> 더하는 거야.

세로셈 식을 완성하고 밑줄친 곳에 알맞은 수를 구하세요.

32와 63의 합은 __95__ 입니다.

묶음 낱개
```
    3 2
  + 6 3
    9 5
```
3+6   2+3

① 44보다 11 큰 수는 __55__ 입니다.
```
    4 4
  + 1 1
    5 5
```

② 25 더하기 33은 __58__ 과 같습니다.
```
    2 5
  + 3 3
    5 8
```

③ 72와 12의 합은 __84__ 입니다.
```
    7 2
  + 1 2
    8 4
```

알맞은 식을 쓰고 답을 구하세요.

과수원에 사과나무가 15그루, 복숭아나무가 23그루 있습니다. 과수원에 있는 나무는 모두 몇 그루일까요?

식:
```
    1 5
  + 2 3
    3 8
```
답: __38그루__

① 은아는 색종이를 62장 가지고 있었는데 10장씩 3묶음을 더 샀습니다. 은아가 가지고 있는 색종이는 몇 장일까요?

식:
```
    6 2
  + 3 0
    9 2
```
답: __92장__

② 연못에 잉어가 27마리, 붕어가 61마리 있습니다. 연못에 있는 잉어와 붕어는 모두 몇 마리일까요?

식:
```
    2 7
  + 6 1
    8 8
```
답: __88마리__

③ 체육 창고에 골프공이 43개 있고, 탁구공은 골프공보다 36개 더 많습니다. 체육 창고에 있는 탁구공은 몇 개일까요?

식:
```
    4 3
  + 3 6
    7 9
```
답: __79개__

P 26 ~ 27

4일 더하고 또 더하기

> 두 번 더하는 문제
> 를 풀 때는 덧셈식을
> 2번 사용해야 해.

알맞은 식을 쓰고 답을 구하세요.

상우는 색종이를 13장 가지고 있습니다. 색종이를 혁오는 상우보다 20장 더 가지고 있고, 초이는 혁오보다 4장 더 가지고 있습니다. 초이가 가지고 있는 색종이는 몇 장일까요?

식:
```
    1 3        3 3
  + 2 0   →  +   4
    3 3        3 7
```
혁오가 가진   초이가 가진
색종이   색종이
답: __37장__

① 동물 농장에 소가 20마리 있습니다. 돼지는 소보다 21마리 더 많고, 염소는 돼지보다 35마리 더 많습니다. 동물 농장에 있는 염소는 몇 마리일까요?

식:
```
    2 0        4 1
  + 2 1   →  + 3 5
    4 1        7 6
```
답: __76마리__

② 저금통에 동전이 51개 있었는데 동전을 5개 더 넣었습니다. 저금통에 동전을 12개 더 넣으면 동전은 몇 개가 될까요?

식:
```
    5 1        5 6
  +   5   →  + 1 2
    5 6        6 8
```
답: __68개__

알맞은 식을 쓰고 답을 구하세요.

재훈이는 11살이고 아빠는 재훈이보다 32살 더 많습니다. 재훈이와 아빠의 나이 합은 몇 살일까요?

식:
```
    1 1        4 3
  + 3 2   →  + 1 1
    4 3        5 4
```
아빠의 나이   아빠와 재훈이
              의 나이 합
답: __54살__

① 학교 도서관에 그림책이 40권 있고, 동화책은 그림책보다 7권 더 많습니다. 도서관에 있는 그림책과 동화책은 모두 몇 권일까요?

식:
```
    4 0        4 7
  +   7   →  + 4 0
    4 7        8 7
```
답: __87권__

② 지은이는 사탕을 21개 가지고 있고, 우람이는 지은이보다 사탕을 14개 더 가지고 있습니다. 지은이와 우람이가 가진 사탕은 모두 몇 개일까요?

식:
```
    2 1        3 5
  + 1 4   →  + 2 1
    3 5        5 6
```
답: __56개__

P 28 ~ 29

5일 여러 가지 합 구하기

세 수를 더할 때는 먼저 두 수를 더한 후 나머지 수를 더해.

❀ 알맞은 식을 쓰고 답을 구하세요.

미래는 어제 동화책을 30쪽 읽었고, 오늘은 24쪽 읽었습니다. 미래가 내일 동화책을 33쪽 읽으면 3일 동안 읽은 동화책은 모두 몇 쪽이 될까요?

식:
```
  3 0        - 5 4
+ 2 4        + 3 3
  5 4          8 7
```
어제와 오늘   3일 동안
읽은 동화책   읽은 동화책

답: **87쪽**

① 주머니에 빨간 구슬이 25개, 노란 구슬이 10개, 파란 구슬이 44개 있습니다. 주머니에 있는 구슬은 모두 몇 개일까요?

식:
```
  2 5        - 3 5
+ 1 0        + 4 4
  3 5          7 9
```
답: **79개**

② 화단에 장미 12송이, 튤립 33송이, 국화 23송이가 피었습니다. 화단에 핀 꽃은 모두 몇 송이일까요?

식:
```
  1 2        - 4 5
+ 3 3        + 2 3
  4 5          6 8
```
답: **68송이**

❀ 책을 상자에 넣어 쌓았습니다. 물음에 답하세요.

| 동화책 24권 | 그림책 13권 | |
| 동화책 15권 | 그림책 20권 | 만화책 31권 |

동화책은 모두 몇 권일까요?

(윗줄에 있는 동화책)+(아랫줄에 있는 동화책)=(동화책)
24+15 = 39(권)

39권

① 그림책은 모두 몇 권일까요?

33권

② 아랫줄에 있는 책은 모두 몇 권일까요?

66권

③ 그림책과 만화책은 모두 몇 권일까요?

64권

P 30 ~ 31

확인학습

✏ 알맞은 식을 쓰고 답을 구하세요.

① 농장에 돼지 22마리와 소 6마리가 있습니다. 농장에 있는 돼지와 소는 모두 몇 마리일까요?

식:
```
  2 2
+   6
  2 8
```
답: **28마리**

② 공원에 비둘기가 40마리, 오리가 40마리 있습니다. 공원에 있는 비둘기와 오리는 모두 몇 마리일까요?

식:
```
  4 0
+ 4 0
  8 0
```
답: **80마리**

③ 운동장에 남학생이 82명 있고, 여학생은 남학생보다 15명 더 많습니다. 운동장에 있는 여학생은 몇 명일까요?

식:
```
  8 2
+ 1 5
  9 7
```
답: **97명**

④ 바둑판 위에 검은 바둑돌이 33개, 흰 바둑돌이 45개 있습니다. 바둑판 위에 있는 바둑돌은 모두 몇 개일까요?

식:
```
  3 3
+ 4 5
  7 8
```
답: **78개**

✏ 알맞은 식을 쓰고 답을 구하세요.

⑤ 연못에 두루미가 11마리 있습니다. 오리는 두루미보다 12마리 더 많고, 개구리는 오리보다 24마리 더 많습니다. 연못에 있는 개구리는 몇 마리일까요?

식:
```
  1 1        - 2 3
+ 1 2        + 2 4
  2 3          4 7
```
답: **47마리**

⑥ 시은이네 집에 볼펜이 23자루 있고, 연필은 볼펜보다 33자루 더 많습니다. 시은이네 집에 있는 볼펜과 연필은 모두 몇 자루일까요?

식:
```
  2 3        - 5 6
+ 3 3        + 2 3
  5 6          7 9
```
답: **79자루**

⑦ 저금통에 오백원 동전이 31개 있고, 백원 동전은 오백원 동전보다 24개 더 많습니다. 저금통에 있는 오백원 동전과 백원 동전은 모두 몇 개일까요?

식:
```
  3 1        - 5 5
+ 2 4        + 3 1
  5 5          8 6
```
답: **86개**

P 32

확인학습

✎ 과일을 상자에 넣어 쌓았습니다. 물음에 답하세요.

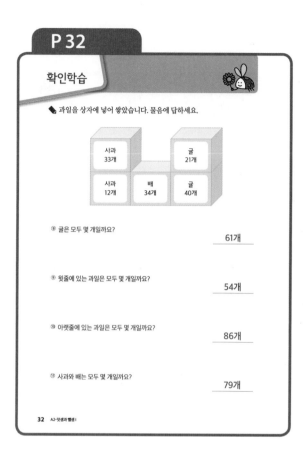

| 사과 33개 | | 귤 21개 |
| 사과 12개 | 배 34개 | 귤 40개 |

⑧ 귤은 모두 몇 개일까요?

　　61개

⑨ 윗줄에 있는 과일은 모두 몇 개일까요?

　　54개

⑩ 아랫줄에 있는 과일은 모두 몇 개일까요?

　　86개

⑪ 사과와 배는 모두 몇 개일까요?

　　79개

P 34 ~ 35

1일 (몇십몇) - (몇)

> (몇십몇)의 일의 자리가 (몇)보다 더 크면 십의 자리는 그대로야.

❀ 세로셈 식을 완성하고 밑줄친 곳에 알맞은 수를 구하세요.

35보다 4 작은 수는 __31__ 입니다.

	묶음	낱개
	3	5
−		4
	3	1
	3	5-4

① 46보다 3 작은 수는 __43__ 입니다.

4	6
−	3
4	3

② 88 빼기 7은 __81__ 과 같습니다.

8	8
−	7
8	1

③ 57과 5의 차는 __52__ 입니다.

5	7
−	5
5	2

❀ 알맞은 식을 쓰고 답을 구하세요.

시우의 언니는 15살이고 시우는 언니보다 2살 더 적습니다. 시우의 나이는 몇 살일까요?

식:
	1	5
−		2
	1	3

답: __13살__

① 색종이가 66장이 있었는데 6장을 종이접기에 사용했습니다. 남아 있는 색종이는 몇 장일까요?

식:
	6	6
−		6
	6	0

답: __60장__

② 주차장에 택시가 28대, 트럭이 5대 있습니다. 택시는 트럭보다 몇 대 더 많을까요?

식:
	2	8
−		5
	2	3

답: __23대__

③ 가람이는 스티커를 74장 모았고, 온후는 가람이보다 스티커를 3장 더 적게 모았습니다. 온후가 모은 스티커는 몇 장일까요?

식:
	7	4
−		3
	7	1

답: __71장__

P 36 ~ 37

2일 (몇십) - (몇십)

> (몇십)-(몇십)에서 일의 자리는 그대로, 십의 자리만 계산해.

❀ 세로셈 식을 완성하고 밑줄친 곳에 알맞은 수를 구하세요.

50 빼기 10은 __40__ 과 같습니다.

	묶음	낱개
	5	0
−	1	0
	4	0
	5-1	0

① 70보다 20 작은 수는 __50__ 입니다.

7	0
− 2	0
5	0

② 40 빼기 30은 __10__ 과 같습니다.

4	0
− 3	0
1	0

③ 80과 60의 차는 __20__ 입니다.

8	0
− 6	0
2	0

❀ 알맞은 식을 쓰고 답을 구하세요.

할아버지의 연세는 80살, 큰아버지의 연세는 50살입니다. 할아버지는 큰아버지보다 몇 살 더 많을까요?

식:
	8	0
−	5	0
	3	0

답: __30살__

① 구현이네 학교에 배구공이 70개가 있고, 농구공은 배구공보다 30개 더 적습니다. 구현이네 학교에 있는 농구공은 몇 개일까요?

식:
	7	0
−	3	0
	4	0

답: __40개__

② 냉장고에 사과가 10개씩 7봉지 들어 있었는데 10개를 먹었습니다. 냉장고에 남은 사과는 몇 개일까요?

식:
	7	0
−	1	0
	6	0

답: __60개__

③ 공원에 비둘기가 90마리 있었는데 20마리가 날아갔습니다. 공원에 남은 비둘기는 몇 마리일까요?

식:
	9	0
−	2	0
	7	0

답: __70마리__

P 38 ~ 39

3일 (몇십몇)-(몇십몇)

세로셈 식을 완성하고 밑줄친 곳에 알맞은 수를 구하세요.

세로셈 빼기에서는 위아래로 나란히 있는 숫자끼리 빼면 돼.

83과 32의 차는 __51__ 입니다.

```
      묶음 낱개
        8  3
      -  3  2
        5  1
      8-3  3-2
```

① 77보다 35 작은 수는 __42__ 입니다.

```
        7  7
      -  3  5
        4  2
```

② 35 빼기 15는 __20__ 과 같습니다.

```
        3  5
      -  1  5
        2  0
```

③ 99와 24의 차는 __75__ 입니다.

```
        9  9
      -  2  4
        7  5
```

알맞은 식을 쓰고 답을 구하세요.

목장에 사슴이 48마리 있고, 양은 사슴보다 24마리 더 적습니다. 목장에 있는 양은 몇 마리일까요?

```
         4  8
식 :  -  2  4     답 : 24마리
         2  4
```

① 기차에 64명이 타고 있었는데 30명이 내렸습니다. 기차에 타고 있는 사람은 몇 명일까요?

```
         6  4
식 :  -  3  0     답 : 34명
         3  4
```

② 경수는 59쪽짜리 만화책을 읽고 있는데 지금까지 19쪽 읽었습니다. 남은 만화책은 몇 쪽일까요?

```
         5  9
식 :  -  1  9     답 : 40쪽
         4  0
```

③ 지우는 우표를 85장 모았고, 가온이는 73장 모았습니다. 지우는 가온이보다 우표를 몇 장 더 모았을까요?

```
         8  5
식 :  -  7  3     답 : 12장
         1  2
```

P 40 ~ 41

4일 빼고 또 빼기

두 번 빼는 문제는 원래 수에서 먼저 뺀 값에서 한 번 더 빼야 해.

알맞은 식을 쓰고 답을 구하세요.

꽃 가게에 장미가 35송이 있습니다. 튤립은 장미보다 10송이 더 적고, 국화는 튤립보다 3송이 더 적습니다. 꽃 가게에 있는 국화는 모두 몇 송이일까요?

```
         3  5        2  5
식 :  -  1  0     -   3     답 : 22송이
         2  5        2  2
         튤립         국화
```

① 엄마의 나이는 47살입니다. 삼촌은 엄마보다 13살 더 어리고, 이모는 삼촌보다 4살 더 어립니다. 이모의 나이는 몇 살일까요?

```
         4  7        3  4
식 :  -  1  3     -   4     답 : 30살
         3  4        3  0
```

② 저금통에 백원 동전이 68개 있습니다. 오백원 동전은 백원 동전보다 26개 더 적고, 십원 동전은 오백원 동전보다 30개 더 적습니다. 저금통에 있는 십원 동전은 몇 개일까요?

```
         6  8        4  2
식 :  -  2  6     -  3  0     답 : 12개
         4  2        1  2
```

알맞은 식을 쓰고 답을 구하세요.

정후는 56쪽짜리 소설책을 읽으려고 합니다. 어제 소설책을 3쪽 읽었고, 오늘 소설책을 22쪽 읽었습니다. 남은 소설책은 몇 쪽일까요?

```
         5  6        5  3
식 :  -   3      -  2  2     답 : 31쪽
         5  3        3  1
     어제까지       오늘까지
    남은 소설책     남은 소설책
```

① 학교에 학생 87명이 있었습니다. 51명이 먼저 집으로 갔고, 12명이 더 집으로 갔습니다. 학교에 남은 학생은 몇 명일까요?

```
         8  7        3  6
식 :  -  5  1     -  1  2     답 : 24명
         3  6        2  4
```

② 냉장고에 귤 75개가 있었습니다. 25개는 이웃집에 나누어 주고, 40개는 가족들과 함께 먹었습니다. 냉장고에 남은 귤은 몇 개일까요?

```
         7  5        5  0
식 :  -  2  5     -  4  0     답 : 10개
         5  0        1  0
```

두 자리 뺄셈

3주

P 42 ~ 43

5일 빼고 더하기, 더하고 빼기

> 덧셈식과 뺄셈식을 써야 하는 경우를 각각 잘 구분해 보자.

❋ 알맞은 식을 쓰고 답을 구하세요.

흰 바둑돌이 52개 있고, 검은 바둑돌은 흰 바둑돌보다 20개 더 적습니다. 바둑돌은 모두 몇 개일까요?

식 :
```
  5 2        3 2
- 2 0      + 5 2
  3 2        8 4
검은 바둑돌   바둑돌
```
답 : **84개**

① 오빠는 24살이고, 언니는 오빠보다 3살 더 어립니다. 오빠와 언니의 나이 합은 몇 살일까요?

식 :
```
  2 4        2 1
-   3      + 2 4
  2 1        4 5
```
답 : **45살**

② 냉장고에 자두가 43개 있습니다. 복숭아는 자두보다 12개 더 적고, 사과는 복숭아보다 37개 더 많습니다. 냉장고에 있는 사과는 몇 개일까요?

식 :
```
  4 3        3 1
- 1 2      + 3 7
  3 1        6 8
```
답 : **68개**

❋ 알맞은 식을 쓰고 답을 구하세요.

1반에는 여학생이 14명, 남학생이 15명 있고, 2반에는 학생이 25명 있습니다. 1반과 2반 학생 수의 차는 몇 명일까요?

식 :
```
  1 4        2 9
+ 1 5      - 2 5
  2 9          4
 1반        두 반의
학생 수     학생 수 차
```
답 : **4명**

① 빨간 사과가 27개, 초록 사과가 40개 있고, 귤이 87개 있습니다. 사과와 귤의 개수 차는 몇 개일까요?

식 :
```
  2 7        8 7
+ 4 0      - 6 7
  6 7        2 0
```
답 : **20개**

② 빨강 색종이가 35장 있습니다. 노랑 색종이는 빨강 색종이보다 53장 더 많고, 파랑 색종이는 노랑 색종이보다 70장 더 적습니다. 파랑 색종이는 몇 장일까요?

식 :
```
  3 5        8 8
+ 5 3      - 7 0
  8 8        1 8
```
답 : **18장**

P 44 ~ 45

확인학습

✎ 알맞은 식을 쓰고 답을 구하세요.

① 밤나무에 밤이 98개 열려 있었는데 6개를 땄습니다. 밤나무에 남은 밤은 몇 개일까요?

식 :
```
  9 8
-   6
  9 2
```
답 : **92개**

② 놀이 공원에 남자 아이가 60명 있고, 여자 아이는 남자 아이보다 20명 더 적습니다. 놀이 공원에 있는 여자 아이는 몇 명일까요?

식 :
```
  6 0
- 2 0
  4 0
```
답 : **40명**

③ 상자에 귤이 74개 있었는데 10개씩 2봉지를 냉장고에 넣었습니다. 상자에 남은 귤은 몇 개일까요?

식 :
```
  7 4
- 2 0
  5 4
```
답 : **54개**

④ 전깃줄에 참새가 38마리 앉아 있고, 제비는 참새보다 13마리 더 적게 앉아 있습니다. 전깃줄에 앉아 있는 제비는 몇 마리일까요?

식 :
```
  3 8
- 1 3
  2 5
```
답 : **25마리**

✎ 알맞은 식을 쓰고 답을 구하세요.

⑤ 가은이는 우표를 99장 모았습니다. 나희는 가은이보다 33장 더 적게 모았고, 다혜는 나희보다 14장 더 적게 모았습니다. 다혜가 모은 우표는 몇 장일까요?

식 :
```
  9 9        6 6
- 3 3      - 1 4
  6 6        5 2
```
답 : **52장**

⑥ 버스에 38명이 타고 있었습니다. 한 정류장에서 11명이 내렸고, 다음 정류장에서 10명이 내렸습니다. 버스에 남은 사람은 몇 명일까요?

식 :
```
  3 8        2 7
- 1 1      - 1 0
  2 7        1 7
```
답 : **17명**

⑦ 과일 가게에 귤이 55개 있습니다. 사과는 귤보다 21개 더 적고, 배는 사과보다 13개 더 적습니다. 과일 가게에 있는 배는 몇 개일까요?

식 :
```
  5 5        3 4
- 2 1      - 1 3
  3 4        2 1
```
답 : **21개**

P 46

확인학습

✎ 알맞은 식을 쓰고 답을 구하세요.

⑧ 강당에 의자가 63개 있고, 책상은 의자보다 42개 더 적습니다. 강당에 있는 의자와 책상은 모두 몇 개일까요?

식 :
```
    6 3          2 1
 -  4 2       +  6 3
 ─────        ─────
    2 1          8 4
```
답 : __84개__

⑨ 명우는 텃밭에서 감자를 54개 캤습니다. 고구마는 감자보다 34개 더 적게 캤고, 당근은 고구마보다 15개 더 많이 캤습니다. 명우가 캔 당근은 몇 개일까요?

식 :
```
    5 4          2 0
 -  3 4       +  1 5
 ─────        ─────
    2 0          3 5
```
답 : __35개__

⑩ 꽃 가게에 장미 44송이와 튤립 96송이가 있었는데 장미를 31송이 더 가져왔습니다. 튤립은 장미보다 몇 송이 더 많을까요?

식 :
```
    4 4          9 6
 +  3 1       -  7 5
 ─────        ─────
    7 5          2 1
```
답 : __21송이__

어떤 수 구하기

4주

P 48 ~ 49

1일 (어떤 수)+(몇)

> 두 숫자를 각각 네모로 나타낸 후, 숫자를 하나씩 구하면 돼.

🌸 세로셈 식을 완성하여 어떤 수를 구하세요.

```
    3 1
  + 1 5
    4 6
```
□+1=4 □+5=6

어떤 수와 15의 합은 46입니다.
어떤 수는 얼마입니까?   **31**

①
```
    3 5
  + 2 3
    5 8
```
어떤 수보다 23 큰 수는 58입니다.
어떤 수는 얼마입니까?   **35**

②
```
    4 2
  + 3 0
    7 2
```
어떤 수 더하기 30은 72와 같습니다.
어떤 수는 얼마입니까?   **42**

③
```
    7 6
  + 2 2
    9 8
```
어떤 수와 22의 합은 98입니다.
어떤 수는 얼마입니까?   **76**

🌸 어떤 수를 네모로 나타낸 식을 쓰고 답을 구하세요.

빨강 색종이 몇 장과 노랑 색종이가 14장을 모으면 색종이는 모두 29장입니다. 빨강 색종이는 몇 장일까요?

식 :
```
    □ □
  + 1 4
    2 9
```
답 : **15장**
1 +1=2   5 +4=9

① 현지는 기웅이보다 구슬을 5개 더 많이 가지고 있습니다. 현지가 가진 구슬이 57개일 때 기웅이가 가진 구슬은 몇 개일까요?

식 :
```
    □ □
  +   5
    5 7
```
답 : **52개**

② 공원에 비둘기 33마리가 더 날아와서 비둘기는 모두 96마리가 되었습니다. 원래 공원에 있던 비둘기는 몇 마리일까요?

식 :
```
    □ □
  + 3 3
    9 6
```
답 : **63마리**

P 50 ~ 51

2일 (몇)+(어떤 수)

> 원래 수보다 얼마만큼 더 늘어났는지 구하는 상황이야.

🌸 세로셈 식을 완성하여 어떤 수를 구하세요.

```
    2 0
  + 5 6
    7 6
```
2+□=7   0+□=6

20 더하기 어떤 수는 76과 같습니다.
어떤 수는 얼마입니까?   **56**

①
```
    1 7
  + 2 1
    3 8
```
17보다 어떤 수만큼 큰 수는 38입니다.
어떤 수는 얼마입니까?   **21**

②
```
    3 5
  + 4 0
    7 5
```
35 더하기 어떤 수는 75와 같습니다.
어떤 수는 얼마입니까?   **40**

③
```
    4 6
  + 1 3
    5 9
```
46과 어떤 수의 합은 59입니다.
어떤 수는 얼마입니까?   **13**

🌸 어떤 수를 네모로 나타낸 식을 쓰고 답을 구하세요.

버스에 15명이 타고 있었는데 정류장에서 몇 명이 더 타서 39명이 되었습니다. 정류장에서 더 탄 사람은 몇 명일까요?

식 :
```
    1 5
  + □ □
    3 9
```
답 : **24명**
1+ 2 =3   5+ 4 =9

① 진구는 어제까지 그림책을 27쪽 읽었습니다. 오늘까지 읽은 그림책이 47쪽이 되려면 오늘 읽어야 하는 그림책은 몇 쪽일까요?

식 :
```
    2 7
  + □ □
    4 7
```
답 : **20쪽**

② 연못에 오리 61마리와 두루미 몇 마리가 있습니다. 연못에 있는 오리와 두루미가 모두 66마리일 때 두루미는 몇 마리일까요?

식 :
```
    6 1
  + □ □
    6 6
```
답 : **5마리**

P 52 ~ 53

3일 (어떤 수)-(몇)

줄어들기 전에
원래 수를 구하는
문제들이야.

🐝 세로셈 식을 완성하여 어떤 수를 구하세요.

```
  9 3
- 6 1
  3 2
```
□-6=3   □-1=2

어떤 수 빼기 61은 32와 같습니다.
어떤 수는 얼마입니까?   **93**

①
```
  2 4
- 1 2
  1 2
```
어떤 수보다 12 작은 수는 12입니다.
어떤 수는 얼마입니까?   **24**

②
```
  6 8
- 2 8
  4 0
```
어떤 수 빼기 28은 40입니다.
어떤 수는 얼마입니까?   **68**

③
```
  7 7
- 3 5
  4 2
```
어떤 수보다 35 작은 수는 42입니다.
어떤 수는 얼마입니까?   **77**

🐝 어떤 수를 네모로 나타낸 식을 쓰고 답을 구하세요.

동물 농장에 소가 돼지보다 40마리 더 적은 26마리 있습니다. 동물 농장에 있는 돼지는 몇 마리일까요?

식 :
```
  □ □
-  4 0
  2 6
```
6-4=2   6-0=6
답 : **66마리**

① 라연이는 우표를 산이보다 11장 더 적은 46장 가지고 있습니다. 산이가 가지고 있는 우표는 몇 장일까요?

식 :
```
  □ □
- 1 1
  4 6
```
답 : **57장**

② 꽃 가게에서 하루 동안 장미 82송이를 팔고 5송이가 남았습니다. 꽃 가게에 원래 있던 장미는 몇 송이일까요?

식 :
```
  □ □
- 8 2
    5
```
답 : **87송이**

P 54 ~ 55

4일 (몇)-(어떤 수)

원래 수에서 얼마
만큼 더 줄어들었는지
구하는 문제야.

🐞 세로셈 식을 완성하여 어떤 수를 구하세요.

```
  6 2
- 1 1
  5 1
```
6-□=5   2-□=1

62보다 어떤 수만큼 작은 수는 51입니다.
어떤 수는 얼마입니까?   **11**

①
```
  5 7
- 2 3
  3 4
```
57 빼기 어떤 수는 34와 같습니다.
어떤 수는 얼마입니까?   **23**

②
```
  8 5
-   4
  8 1
```
85보다 어떤 수만큼 작은 수는 81입니다.
어떤 수는 얼마입니까?   **4**

③
```
  7 9
- 6 0
  1 9
```
79 빼기 어떤 수는 19와 같습니다.
어떤 수는 얼마입니까?   **60**

🐞 어떤 수를 네모로 나타낸 식을 쓰고 답을 구하세요.

과일 가게에 오렌지 73개가 있었습니다. 하루 동안 오렌지를 팔았더니 22개가 남았습니다. 과일 가게에서 하루 동안 판 오렌지는 몇 개일까요?

식 :
```
  7 3
- □ □
  2 2
```
7-5=2   3-1=2
답 : **51개**

① 올해 65살인 할아버지가 자신이 33살 때의 사진을 보여주셨습니다. 할아버지가 33살이던 때는 몇 년 전일까요?

식 :
```
  6 5
- □ □
  3 3
```
답 : **32년**

② 두현이는 색종이를 54장 가지고 있고, 국진이는 두현이보다 몇 장 더 적은 14장 가지고 있습니다. 국진이가 가진 색종이는 두현이보다 몇 장 더 적을까요?

식 :
```
  5 4
- □ □
  1 4
```
답 : **40장**

P 56 ~ 57

5일 잘못된 계산

더해야 하는데 빼는 실수를 한 것이 누구나 있지 않아?

✿ 빈칸에 알맞은 수가 같은 것끼리 이어 보세요.

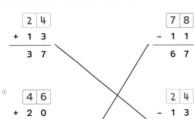

```
  2 4          7 8
+ 1 3        - 1 1
─────        ─────
  3 7          6 7
```

①
```
  4 6          2 4
+ 2 0        - 1 3
─────        ─────
  6 6          1 1
```

②
```
  7 8          4 6
+ 1 1        - 2 0
─────        ─────
  8 9          2 6
```

③
```
  5 3          5 3
+ 4 1        - 4 1
─────        ─────
  9 4          1 2
```

✿ 잘못된 계산값을 보고 올바르게 계산한 값을 구하세요.

어떤 수에 23을 더해야 하는데 잘못하여 뺐더니 계산값이 11이 되었습니다. 올바르게 계산한 값은 얼마일까요?

```
  □ □              → 3 4
- 2 3     어떤 수 : 34   + 2 3    답 : 57
─────              ─────
  1 1                5 7
3 -2=1  4 -3=1
```

① 어떤 수에 30을 더해야 하는데 잘못하여 뺐더니 계산값이 27이 되었습니다. 올바르게 계산한 값은 얼마일까요?

```
  □ □              → 5 7
- 3 0     어떤 수 : 57   + 3 0    답 : 87
─────              ─────
  2 7                8 3
```

② 어떤 수에서 12를 빼야 하는데 잘못하여 더했더니 계산값이 88이 되었습니다. 올바르게 계산한 값은 얼마일까요?

```
  □ □              → 7 6
+ 1 2     어떤 수 : 76   - 1 2    답 : 64
─────              ─────
  8 8                6 4
```

P 58 ~ 59

확인학습

✎ 세로셈 식을 완성하여 어떤 수를 구하세요.

①
```
  3 5
+ 2 3
─────
  5 8
```
어떤 수보다 23 큰 수는 58입니다. 어떤 수는 얼마입니까? **35**

②
```
  5 0
+ 2 8
─────
  7 8
```
50 더하기 어떤 수는 78과 같습니다. 어떤 수는 얼마입니까? **28**

③
```
  7 6
- 5 6
─────
  2 0
```
어떤 수보다 56 작은 수는 20입니다. 어떤 수는 얼마입니까? **76**

④
```
  6 7
- 4 6
─────
  2 1
```
67 빼기 어떤 수는 21과 같습니다. 어떤 수는 얼마입니까? **46**

✎ 어떤 수를 네모로 나타낸 식을 쓰고 답을 구하세요.

⑤ 냉장고에 귤 27개를 더 넣었더니 귤은 모두 58개가 되었습니다. 냉장고에 원래 있던 귤은 몇 개일까요?

```
        □ □
식 :  + 2 7     답 : 31개
      ─────
        5 8
```

⑥ 시운이가 가진 연필은 36자루였는데 몇 자루를 더 사서 48자루가 되었습니다. 시운이가 더 산 연필은 몇 자루일까요?

```
        3 6
식 :  + □ □     답 : 12자루
      ─────
        4 8
```

⑦ 연수가 가진 색종이 중 24장을 종이접기에 사용하고 74장이 남았습니다. 연수가 원래 가지고 있던 색종이는 몇 장일까요?

```
        □ □
식 :  - 2 4     답 : 98장
      ─────
        7 4
```

⑧ 우영이가 쿠키 46개를 만들어서 몇 개를 먹었더니 20개가 남았습니다. 우영이가 먹은 쿠키는 몇 개일까요?

```
        4 6
식 :  - □ □     답 : 26개
      ─────
        2 0
```

P 60

확인학습

◆ 잘못된 계산값을 보고 올바르게 계산한 값을 구하세요.

⑨ 어떤 수에서 40을 빼야 하는데 잘못하여 더했더니 계산값이 89가 되었습니다. 올바르게 계산한 값은 얼마일까요?

$$
\begin{array}{r}
\square\ \square \\
+\ 4\ 0 \\
\hline
8\ 9
\end{array}
$$

어떤 수 : __49__

$$
\begin{array}{r}
4\ 9 \\
-\ 4\ 0 \\
\hline
9
\end{array}
$$

답 : __9__

⑩ 어떤 수에 2를 더해야 하는데 잘못하여 뺐더니 계산값이 34가 되었습니다. 올바르게 계산한 값은 얼마일까요?

$$
\begin{array}{r}
\square\ \square \\
-\ \ \ 2 \\
\hline
3\ 4
\end{array}
$$

어떤 수 : __36__

$$
\begin{array}{r}
3\ 6 \\
+\ \ \ 2 \\
\hline
3\ 8
\end{array}
$$

답 : __38__

⑪ 어떤 수에서 21을 빼야 하는데 잘못하여 더했더니 계산값이 63이 되었습니다. 올바르게 계산한 값은 얼마일까요?

$$
\begin{array}{r}
\square\ \square \\
+\ 2\ 1 \\
\hline
6\ 3
\end{array}
$$

어떤 수 : __42__

$$
\begin{array}{r}
4\ 2 \\
-\ 2\ 1 \\
\hline
2\ 1
\end{array}
$$

답 : __21__

진단평가

P 62 ~ 63

1회차 진단평가

월 일
제한 시간 10분
맞은 개수 / 7개

✏ 알맞은 식을 쓰고 답을 구하세요.

① 주차장에 자동차가 5대 있었는데 3대가 더 왔습니다. 주차장에 있는 자동차는 모두 몇 대일까요?

식 : 5+3=8   답 : 8대

② 화단에 튤립이 2송이 있었는데 1송이가 더 피었습니다. 화단에 있는 튤립은 모두 몇 송이일까요?

식 : 2+1=3   답 : 3송이

✏ 알맞은 식을 쓰고 답을 구하세요.

③ 분식집에서 야채 김밥 30줄, 치즈 김밥 12줄, 참치 김밥 24줄을 만들었습니다. 분식집에서 만든 김밥은 모두 몇 줄일까요?

식 :
```
  3 0      4 2
+ 1 2    + 2 4
  4 2      6 6
```
답 : 66줄

④ 지웅이는 그림책을 14권, 동화책을 21권, 위인전을 42권 가지고 있습니다. 지웅이가 가진 책은 모두 몇 권일까요?

식 :
```
  1 4      3 5
+ 2 1    + 4 2
  3 5      7 7
```
답 : 77권

✏ 알맞은 식을 쓰고 답을 구하세요.

⑤ 아린이는 초콜릿 69개를 만들었습니다. 초콜릿 32개는 친구들에게 나누어 주고, 35개는 오빠와 나누어 먹었습니다. 남은 초콜릿은 몇 개일까요?

식 :
```
  6 9      3 7
- 3 2    - 3 5
  3 7        2
```
답 : 2개

⑥ 공원에 소나무가 88그루 있습니다. 은행나무는 소나무보다 12그루 더 적고, 전나무는 은행나무보다 45그루 더 적습니다. 공원에 있는 전나무는 몇 그루일까요?

식 :
```
  8 8      7 6
- 1 2    - 4 5
  7 6      3 1
```
답 : 31그루

✏ 어떤 수를 네모로 나타낸 식을 쓰고 답을 구하세요.

⑦ 기차에 타고 있던 사람 중 35명이 역에서 내렸더니 기차에 남은 사람은 14명이었습니다. 원래 기차에 타고 있던 사람은 몇 명일까요?

식 :
```
  □ □
- 3 5
  1 4
```
답 : 49명

P 64 ~ 65

2회차 진단평가

월 일
제한 시간 10분
맞은 개수 / 7개

✏ 알맞은 식을 쓰고 답을 구하세요.

① 강우는 연필 4자루, 볼펜 5자루를 가지고 있습니다. 강우가 가지고 있는 연필과 볼펜은 모두 몇 자루일까요?

식 : 4+5=9   답 : 9자루

② 동물 카페에 강아지가 4마리, 고양이가 2마리 있습니다. 동물 카페에 있는 강아지와 고양이는 모두 몇 마리일까요?

식 : 4+2=6   답 : 6마리

✏ 알맞은 식을 쓰고 답을 구하세요.

③ 과일 가게에 사과가 71개 있었는데 5개를 더 들어왔습니다. 과일 가게에 있는 사과는 몇 개일까요?

식 :
```
  7 1
+   5
  7 6
```
답 : 76개

④ 현아는 어제 줄넘기를 94번 했고, 오늘은 어제보다 1번 더 했습니다. 현아가 오늘 한 줄넘기는 몇 번일까요?

식 :
```
  9 4
+   1
  9 5
```
답 : 95번

✏ 알맞은 식을 쓰고 답을 구하세요.

⑤ 연못에 붕어가 32마리 있고, 잉어는 붕어보다 21마리 더 적습니다. 연못에 있는 붕어와 잉어는 모두 몇 마리일까요?

식 :
```
  3 2      1 1
- 2 1    + 3 2
  1 1      4 3
```
답 : 43마리

⑥ 버스에 36명이 타고 있었습니다. 다음 정류장에서 13명이 타고 25명이 내렸습니다. 버스에 남은 사람은 몇 명일까요?

식 :
```
  3 6      4 9
+ 1 3    - 2 5
  4 9      2 4
```
답 : 24명

✏ 어떤 수를 네모로 나타낸 식을 쓰고 답을 구하세요.

⑦ 창고에 빗자루가 98개 있었는데 몇 개를 나누어 주었더니 77개가 남았습니다. 나누어 준 빗자루는 몇 개일까요?

식 :
```
  9 8
- □ □
  7 7
```
답 : 21개

P 66 ~ 67

3회차 진단평가

✎ 알맞은 식을 쓰고 답을 구하세요.

① 스쿨버스에 5명이 타고 있었는데 2명이 내렸습니다. 스쿨버스에 남은 사람은 몇 명일까요?

식 : $5-2=3$ 답 : 3명

② 명은이는 과자를 9개 가지고 있었는데 3개를 친구에게 나누어 주었습니다. 명은이에게 남은 과자는 몇 개일까요?

식 : $9-3=6$ 답 : 6개

✎ 알맞은 식을 쓰고 답을 구하세요.

③ 공원에 나무가 10그루 있었는데 30그루를 더 심었습니다. 공원에 있는 나무는 몇 그루입니까?

식 :
```
  1 0
+ 3 0
  4 0
```
답 : 40그루

④ 냉장고에 흰색 달걀이 10개씩 3상자, 갈색 달걀이 10개씩 2상자 있습니다. 냉장고에 있는 달걀은 모두 몇 개일까요?

식 :
```
  3 0
+ 2 0
  5 0
```
답 : 50개

✎ 알맞은 식을 쓰고 답을 구하세요.

⑤ 강당에 안경을 쓴 어린이는 39명 있고, 안경을 쓰지 않은 어린이는 안경을 쓴 어린이보다 5명 더 적습니다. 안경을 쓰지 않은 어린이는 몇 명일까요?

식 :
```
  3 9
-   5
  3 4
```
답 : 34명

⑥ 책꽂이에 동화책이 53권 있었는데 1권을 친구에게 빌려주었습니다. 책꽂이에 남은 동화책은 몇 권일까요?

식 :
```
  5 3
-   1
  5 2
```
답 : 52권

✎ 잘못된 계산값을 보고 올바르게 계산한 값을 구하세요.

⑦ 어떤 수에 33를 더해야 하는데 잘못하여 뺐더니 계산값이 12가 되었습니다. 올바르게 계산한 값은 얼마일까요?

```
  □ □
- 3 3      어떤 수 :  45
  1 2
```
```
  4 5
+ 3 3
  7 8
```
답 : 78

P 68 ~ 69

4회차 진단평가

✎ 알맞은 식을 쓰고 답을 구하세요.

① 전깃줄에 제비가 5마리, 참새가 4마리 앉아 있습니다. 제비는 참새보다 몇 마리 더 많을까요?

식 : $5-4=1$ 답 : 1마리

② 수영장에 여자 아이는 7명, 남자 아이는 9명 헤엄치고 있습니다. 남자 아이는 여자 아이보다 몇 명 더 많을까요?

식 : $9-7=2$ 답 : 2명

✎ 알맞은 식을 쓰고 답을 구하세요.

③ 도서관에 위인전이 25권, 소설책이 51권 있습니다. 도서관에 있는 위인전과 소설책은 모두 몇 권일까요?

식 :
```
  2 5
+ 5 1
  7 6
```
답 : 76권

④ 우진이네 집에는 볼펜이 10자루씩 4묶음, 연필이 25자루 있습니다. 우진이네 집에 있는 볼펜과 연필은 모두 몇 자루일까요?

식 :
```
  4 0
+ 2 5
  6 5
```
답 : 65자루

✎ 알맞은 식을 쓰고 답을 구하세요.

⑤ 학교 뒷산에 소나무가 90그루, 은행나무가 10그루 있습니다. 소나무는 은행나무보다 몇 그루 더 많을까요?

식 :
```
  9 0
- 1 0
  8 0
```
답 : 80그루

⑥ 연아의 삼촌은 30살이고, 연아는 삼촌보다 20살 더 어립니다. 연아는 몇 살일까요?

식 :
```
  3 0
- 2 0
  1 0
```
답 : 10살

✎ 어떤 수를 네모로 나타낸 식을 쓰고 답을 구하세요.

⑦ 공원에 있는 소나무는 은행나무보다 50그루 더 많은 63그루입니다. 공원에 있는 은행나무는 몇 그루일까요?

식 :
```
  □ □
+ 5 0
  6 3
```
답 : 13그루

5회차 진단평가

월 일	
제한 시간	10분
맞은 개수	/ 6개

✒️ **다음 문제를 식을 세워 단계별로 풀어 보세요.**

① 동물 카페에 암컷 강아지 2마리와 수컷 강아지 5마리가 있고, 암컷 고양이 6마리와 수컷 고양이 3마리가 있습니다. 강아지와 고양이는 몇 마리 차이 날까요?

동물 카페에 있는 강아지　식 : __2+5=7__　답 : __7마리__

동물 카페에 있는 고양이　식 : __6+3=9__　답 : __9마리__

강아지와 고양이의 차　식 : __9-7=2__　답 : __2마리__

✒️ **알맞은 식을 쓰고 답을 구하세요.**

② 은주는 14살입니다. 고모는 은주보다 32살 더 많고, 아빠는 고모보다 3살 더 많습니다. 은주의 아빠는 몇 살일까요?

식 :
$$\begin{array}{r} 1\ 4 \\ +\ 3\ 2 \\ \hline 4\ 6 \end{array} \quad \begin{array}{r} 4\ 6 \\ +\ \ \ 3 \\ \hline 4\ 9 \end{array}$$
답 : __49살__

③ 동하는 쿠키를 23개 만들었고, 가연이는 동하보다 쿠키를 12개 더 만들었습니다. 두 사람이 만든 쿠키는 모두 몇 개일까요?

식 :
$$\begin{array}{r} 2\ 3 \\ +\ 1\ 2 \\ \hline 3\ 5 \end{array} \quad \begin{array}{r} 3\ 5 \\ +\ 2\ 3 \\ \hline 5\ 8 \end{array}$$
답 : __58개__

✒️ **알맞은 식을 쓰고 답을 구하세요.**

④ 주희의 이모는 26살이고 주희는 11살입니다. 이모는 주희보다 몇 살 더 많을까요?

식 :
$$\begin{array}{r} 2\ 6 \\ -\ 1\ 1 \\ \hline 1\ 5 \end{array}$$
답 : __15살__

⑤ 냉장고에 있는 초콜릿 47개 중 37개를 친구들과 나누어 먹었습니다. 냉장고에 남은 초콜릿은 몇 개일까요?

식 :
$$\begin{array}{r} 4\ 7 \\ -\ 3\ 7 \\ \hline 1\ 0 \end{array}$$
답 : __10개__

✒️ **어떤 수를 네모로 나타낸 식을 쓰고 답을 구하세요.**

⑥ 스티커를 경주는 50장 모았고, 희진이는 경주보다 더 많이 모았습니다. 희진이가 모은 스티커가 99장일 때 희진이는 경주보다 스티커를 몇 장 더 모았을까요?

식 :
$$\begin{array}{r} 5\ 0 \\ +\ \square\ \square \\ \hline 9\ 9 \end{array}$$
답 : __49장__

"
The essence of mathematics
is its freedom.
"

"수학의 본질은 그 자유로움에 있다."

Georg Cantor, 게오르크 칸토어

시우엠 지식과상상 연구소 ^{since 2013}

시우엠 **지식과상상** 연구소 since 2013
교재 소개 및 난이도 안내

*일부 교재 출시 예정입니다.

분류	교재	연령	하	중	상
도형	도형 학습 스타트 **플라토**	6세 ~ 초6	██████	███	
연산	연산의 새로운 기준 **칸토의 연산**	5세 ~ 초6	██████	███	
연산	연산으로 상위권 점프 **응용연산**	6세 ~ 초6		████	████
서술형	수학 실력은 결국 독해력 **수학독해**	6세 ~ 초6	███	███	
사고력	반드시 필요한 사고력만 **팡세**	6세 ~ 초6		████	████
계 측 초 등 수 학	쉽게, 빠르게, 재미있게 **구구단**	5세 ~ 초2	████		
	저학년 시간 학습 준비 끝 **시계와 달력**		█████		
	꼭 알아야 할 실생활 수학 **길이와 화폐**		█████	█	
	기초 튼튼, 개념 탄탄 **분수**		███	███	

"

The essence of mathematics
is its freedom.

"

"수학의 본질은 그 자유로움에 있다."

Georg Cantor, 게오르크 칸토어

모델명 : 씨투엠 수학독해
제조년월 : 2023년 03월
제조자명 : ㈜씨투엠에듀
주소 및 전화번호 : 경기도 수원시 장안구 파장로 7(태영빌딩 3층) / 031-548-1191
제조국명 : 한국
사용연령 : 만 5세 이상

씨투엠 수학독해 A2

홈페이지 : www.c2medu.co.kr
지원카페 : cafe.naver.com/fieldsm

값 8,000원

64410
9 791162 290347
ISBN 979-11-6229-034-7

하루 10분 서술형/문장제 학습지

씨투엠

수학
독해

S3 더하기와 빼기

5세~7세

Creative to Math
씨투엠

지식과 상상 교육연구소

since 2013 대표 한헌조, 연구소장 김성국

창의적인 **생각** · 재미가득 **활동** · 의미있는 **지식** · 자유로운 **상상**

생각, 활동, 지식, 상상을
수학이라는 그릇에
아름답게 담아내고 싶은
수학 교구, 교재 연구 집단입니다.

교구 프로그램

- 3D 두뇌 트레이닝 지오플릭
- 키즈디딤돌 봄봄 만지는 수학
- 생각을 감는 두뇌회전 놀이 릴브레인
- 수학 보드게임 시리즈 필즈엠
- 초등 창의사고력 수학 교구 프로그램 씨투엠클래스
- 유아 창의사고력 활동 수학 프로그램 씨투엠키즈
- 수학 교구 공동구매 프로젝트 필즈엠 사구공구(4909)
- 해법에듀 교구 활동 중심의 창의사고력 뉴런 놀이수학

교재 시리즈

- 생각을 감는 두뇌회전 연산 릴브레인북
- NE 매쓰큐브 하루 30분 조각연산법 사고셈
- 천재교육 사고력 노크 / 연산력 노크
- 공간 감각을 위한 하루 10분 도형 학습지 플라토
- 실전 사고력 수학 프로그램 씨투엠RAT
- 마법스쿨 마법의 집중해결 수학
- 하루 10분 서술형/문장제 학습지 수학독해

 **수학으로 하나되는 무한상상 공간**

필즈엠은 (주)씨투엠에듀에서 개발하고 판매하는 최신개정교과서 기반 학습교구,
교재 시스템 브랜드입니다.

수학으로 하나되는 무한상상 공간 필즈엠 카페는 수학을 좋아하는 사람들이 모여
수학 교육정보 및 교구 학습자료를 자유롭게 공유하는 커뮤니티 카페입니다.

필즈엠 카페 cafe.naver.com/fieldsm